# Othello Onbekend

ABIMO
UITGEVERIJ

Marina Defauw
*Othello Onbekend*

Vanaf 12 jaar

© 2008,
Abimo Uitgeverij
*Europark Zuid 9*
*9100 Sint-Niklaas*
*tel: 03/760.31.00*
*fax: 03/760.31.09*
*info@abimo.net*
*www.abimo.net*

Eerste druk: januari 2008

**Coverillustratie:**
Ann De Bode

**Vormgeving:**
Klaas Demeulemeester

D/2007/6699/63
ISBN: 9789059323872
NUR: 284

Marina Defauw

Othello onbekend

# Voorwoord

Anneleen en Jelle zijn twee tieners die samen willen deelnemen aan een belangrijke voordrachtwedstrijd op school.

Alles gaat goed tot Anneleen een ongeluk krijgt en als gevolg daarvan tijdelijk aan geheugenverlies lijdt. Toneelspelen wordt moeilijk. En daarom wil Jelle verder met de knappe Fran.

Anneleen voelt zich dom, lelijk en in de steek gelaten door Jelle. Ze weet zich geen raad met haar negatieve gevoelens.

In een poging van haar verdriet af te komen, begint ze zichzelf te snijden. De fysieke pijn van de snijwond moet de psychische pijn overheersen.

Gelukkig kan Anneleen rekenen op de steun van haar vrienden en ouders.

In de dagelijkse realiteit van jongeren is Anneleen zeker geen uitzondering. Eén op tien 15- tot 16-jarigen verwondt zichzelf, in verschillende mate en om verschillende redenen. Voor de meeste jongeren is zelfverwondend gedrag een manier om met negatieve gevoelens om te gaan, zoals liefdesverdriet, onzeker-heid, zichzelf lelijk en/of dom vinden, enzovoort.

Vaak gebeurt zelfverwonding in het geheim, en zondert de jongere zich af van familie en vrienden.

Als je jezelf verwondt en/of iemand kent die zichzelf verwondt, is het altijd raadzaam om te zoeken naar gezonde alternatieven om met die negatieve gevoelens om te gaan (bijvoorbeeld spor-ten, verbeteren van de sociale contacten met vrienden...).

Als het niet lukt om de zelfverwonding in je eentje onder controle te krijgen, kun je hulp vragen aan je ouders, een medewerker van het CLB op school en/of een gespecialiseerde hulpverlener (bijvoorbeeld een psychotherapeut).
Het is erg belangrijk je gevoelens met anderen te delen, ondanks gevoelens van angst en schaamte die zelfverwonding met zich meebrengt. Het is de eerste stap naar een gezonde manier om met je negatieve gevoelens om te gaan... en steun en begrip te vinden bij anderen.

Goede zelfzorg is de boodschap!

*Laurence Claes*

*Laurence Claes is doctor in de psychologie, gedragstherapeute en docent klinische psychodiagnostiek aan de K.U. Leuven. Ze is gespecialiseerd in het onderzoek naar zelfverwonding.*
*Recent verscheen haar boek:*
*Claes, L., & Vandereycken, W. (2007).*
*'Zelfverwonding: Hoe ga je ermee om?'*
*Lannoo, Tielt*

Dit deel hoef je niet te lezen, maar als je meer wilt weten over Othello, een van de toneelstukken van Shakespeare, dan vind je hier informatie.

Wanneer Othello naar Cyprus moet om het eiland tegen de Turken te verdedigen, is hij net in het geheim met Desdemona getrouwd. Hij heeft Cassio benoemd tot luitenant. En Jago die op die functie gehoopt had, is zo jaloers dat hij een ingenieus plan bedenkt om Othello en Cassio uit te schakelen.

Als het gezelschap op Cyprus aankomt, is de oorlog al voorbij.

Desdemona en Othello hebben plannen om uit eten te gaan met de edelen van Cyprus. Wanneer Desdemona Othello komt halen om te vertrekken, verliest ze haar zakdoek. Emilia vindt hem en raapt hem op. Voor haar een echte meevaller, want Jago heeft haar al elke dag gevraagd om die zakdoek te stelen.

Emilia geeft de zakdoek aan Jago die hem in het huis van Cassio legt. Jago zorgt er ook voor dat Othello hem daar vindt.

Othello wordt gekweld door twijfel. Volgens hem zijn er sterke aanwijzingen dat Desdemona ontrouw is. En Jago gooit nog wat meer olie op het vuur…

Jago vertelt Othello dat hij Cassio in zijn slaap heeft horen praten over Desdemona. En dat hij gezien heeft hoe Cassio zijn mond schoonveegde aan een zakdoek die er net zo uitziet als de zakdoek van Desdemona. Othello gaat door het lint en geeft opdracht Cassio te doden.

Intussen zoekt Desdemona wanhopig haar zakdoek. Die zakdoek is het eerste cadeau geweest dat Othello ooit aan haar gegeven heeft. Hij heeft haar laten zweren dat ze die zakdoek nooit zou verliezen.

Een tijdje later vraagt Othello aan Desdemona naar die zakdoek. Desdemona is wanhopig, want ze heeft hem nog altijd niet. Dat ziet Othello als een bewijs van haar ontrouw. Othello is vastbesloten: Desdemona moet ook sterven.

Jago laat Othello denken dat Cassio intussen al dood is en hij dringt aan om Desdemona te vermoorden. Othello doodt haar, maar dan wordt duidelijk hoe Jago de zaak gemanipuleerd heeft. Othello pleegt zelfmoord.

# Een

'Anneleen? Hoor je me? Anneleen? Kijk eens naar me.'
Wie riep daar zo? Ze wilde niet gevonden worden. Het mocht
vooral niet ontdekt worden. O, papa zou razend zijn als hij het
wist.
'Anneleen? Word wakker.'
Was ze dan in slaap gevallen? O nee. Haar hoofd bonkte vrese-
lijk. Voorzichtig probeerde Anneleen haar hoofd opzij te draaien.
Wat was er toch aan de hand? Het leek wel alsof er een stalen
band om haar hoofd gesnoerd zat. Niet zo hard alsjeblieft. Was
ze gevangengenomen misschien? En waarom scheen dat felle
licht recht in haar ogen? Het maakte haar misselijk. Ze kon
wel kotsen. Vooral niet diep inademen.
'Anneleen? Kom, kijk naar me.'
Daar was die stem weer. Waarom deed niemand dat licht weg?
Dan zou ze tenminste kunnen kijken.
'Doe je ogen open, lieverd.'
Anneleen knipperde met haar ogen. De contouren van een
gezicht werden zichtbaar.
'Mama', zei ze zacht. 'Mijn hoofd.' Haar stem was niet meer
dan een fluistering en haar ogen vielen weer dicht.
'Ik weet het. Je krijgt zo meteen nog iets tegen de pijn. Papa
zal de verpleegster roepen.'
Welke verpleegster? O God, ze had de kracht niet om het te
vragen. Anneleen voelde hoe een hand haar hoofd streelde.
'Licht moet weg', fluisterde Anneleen terwijl ze nog eens
probeerde om haar hoofd helemaal weg te draaien.

'Welk licht?' vroeg mama.

'Waarschijnlijk bedoelt ze het daglicht. Dat kan ze nu niet hebben door die hersenschudding. Dag engel van me. De verpleegster komt zo.' De stem van papa.

Anneleen knikte. Had zij een hersenschudding? Hoe kwam ze daaraan? Opeens voelde ze hoe een hand haar arm beetpakte, er iets kouds over wreef en haar een prik gaf. Ze hapte even naar adem. Was dat een aanslag op haar leven? De Turken zouden aanvallen. Daarom moesten ze zo vlug mogelijk naar Cyprus om hen te verslaan.

'Zo, jongedame. Je zult je gauw weer beter voelen. Straks kom ik nog even naar je kijken. Goed?' Een stem die ze niet kende.

'Bedankt', zei mama. Anneleen hoorde voetstappen wegsterven.

'Heb je je zonnebril niet bij je?' vroeg papa. 'Kijk hoe ze met haar ogen knippert. En nog meer verduisteren kunnen we hier niet.'

'Ja, ik denk het wel', zei mama. Ze rommelde in haar handtas. 'Hier is hij. Ik zet hem op je neus, Anneleen. Schrik niet.'

Anneleen hield zich eerst heel stil en opende toen haar ogen. Vreemd. Deze kamer kende ze niet. Toen vonden haar ogen papa en mama.

'Zijn jullie boos?' vroeg Anneleen zachtjes.

'Boos? Nee. Waarom zouden we boos zijn? Toch niet om wat er gebeurd is? We zijn alleen maar bezorgd, engeltje', antwoordde mama.

'Ik ben toch weggelopen?' Ze beet op haar onderlip. Ze wist best dat het fout was en dat ze nog maar veertien was, maar wat had ze anders kunnen doen?

'Wel nee. Hoe kom je daar nu bij?'

Anneleen haalde diep adem en keek naar papa. Hij zag er niet boos uit, maar hij wist ook nog niet alles. Ze wilde het achter de rug hebben. Doorbijten zou ze.

'Mam?' zei ze met een snik in haar stem. 'Ik ben wel weggelopen en ik ben stiekem met Othello getrouwd.'

Het grote woord was gevallen. Ze kneep haar ogen dicht, want nu zou de hel losbarsten. En ze kon niet eens ontsnappen. Hé? Waarom deed mama alsof ze probeerde niet te lachen?

'Mam, ik vind het niet grappig.' Ze praatte opeens veel heftiger en probeerde haar ogen open te houden.

'Natuurlijk niet, engel. Je bent alleen een beetje in de war.'

Toen kwam papa dichterbij. Als hij zo ernstig keek, werd hij meestal boos. Of volgde er een preek. Anneleen hield haar adem in.

'Engeltje, weet je dan niet wat er gebeurd is?' vroeg hij. Vreemd dat hij nog altijd niet boos was. Toch maar uitkijken.

Anneleen schudde haar hoofd, maar had daar al meteen spijt van. Het bonken van haar hoofd werd erger. En er was ook iets met haar rechterhand en haar arm. Alsof ze verpakt waren.

Ze bracht haar hand dichter bij haar ogen. O nee! Gips. Had Jago daar iets mee te maken? Jago haatte Othello tot diep in zijn hart.

'Rustig maar, je arm is gebroken. Je hebt een ongeluk gehad. Nu lig je in het ziekenhuis', zei papa.

Ongeluk? Wanneer dan? Had Jago? Even twijfelde ze. Ja, ze was naar de Academie voor Muziek en Woord geweest. Daar kreeg ze les. "Voordracht voor tieners". Het was leuk geweest. Een van de leraressen had zelfs gezegd dat ze heel veel talent had en dat ze het heel behoorlijk zou doen tijdens de voordrachtwedstrijd. Hoe zat dat ook alweer met die wedstrijd? Anneleen zuchtte. Details wist ze niet meer. Of toch. Ze zou deelnemen samen met Jelle, haar buurjongen, die ook een klasgenoot was. En Mandy, haar beste vriendin, deed daar altijd heel enthousiast over.

'Wanneer mag ik naar huis?' vroeg Anneleen.

'Als alles goed verloopt na het weekend. De dokter wil geen risico nemen met die hersenschudding.'

Papa trok een stoel dichterbij en ging zitten.

'Hoe is het gebeurd?' vroeg ze zachtjes.

'Je hebt vreselijke pech gehad. Er is een autobestuurder door het rode licht gereden op het moment dat jij op het kruispunt fietste. Hij heeft nog hard geremd, maar kon je niet meer ontwijken. Het had allemaal nog veel erger kunnen zijn', zei papa.

Ze knikte en voelde zich loom worden. Meer nog, ze had zin om te slapen. Wat een geluk dat hij niets over Jago en Othello zei. Of nog erger, over haar huwelijk.

# Twee

'O mijn lieve Desdemona, wat ben ik blij dat ik je zie', riep Jelle enkele uren later uit terwijl hij met gespreide armen in de deuropening van de ziekenhuiskamer van Anneleen bleef staan.

Anneleen lachte. Hij kon zo heerlijk idioot doen.

'Ik heb je zo lief. Mijn hart klopt vurig voor jou', ging hij verder. Zijn stem klonk plechtig en zijn ogen vonkten plagerig. 'Ahum.' Anneleen grinnikte.

'Hallo', zei ze zachtjes.

Ze kon haar ogen niet van hem afhouden. Tot er op de deur werd geklopt en er naast Jelle een hoofd verscheen.

'Mandy, cool dat je er ook bent', zei Anneleen.

'Ja, vind ik ook. Vooruit, Jelle, ga naar binnen. Nu moet je geen toneel spelen', riep Mandy. Ze gaf Jelle een duw in zijn rug en hij deed alsof hij voorover viel.

'Hé zeg, ik moet haar mijn liefde verklaren. We zijn een pas getrouwd stel moet je weten.' Hij wees naar Anneleen. Ze kleurde. Stel je voor dat ze echt met hem getrouwd was. Hoewel... Er was iets dat verband hield met haar huwelijk en waarmee ze allebei te maken hadden. Maar wat? Hopelijk trok die mist in haar hoofd vlug op.

'Ik geloof niet dat Shakespeare op die manier zijn liefde verklaarde', zei Mandy die een grimas trok.

'Hé? Ik ben ook geen Shakespeare. Ik ben Othello, om je te dienen.' Hij boog voorover terwijl hij met zijn arm waaierde.

Die namen tolden door Anneleens hoofd. Othello, Desdemona, Shakespeare... Erg verwarrend allemaal.

'Vooruit, ga opzij.' Mandy klonk geïrriteerd. 'Hallo Anneleen, hoe voel je je?'

Eindelijk kon ze dichterbij komen. Ze gaf haar vriendin een kus op haar wang.

'Gaat wel. Een beetje moe en ik heb ook nog hoofdpijn.'

'Ja, je moeder zei dat al aan de telefoon. Maak je geen zorgen. Het wordt wel beter. Ik heb een pakje voor je meegebracht.' Ze stak een pakje uit. 'Alsjeblieft.'

'Wacht! Eerst ben ik aan de beurt', riep Jelle uit voor Anneleen kans zag om het cadeautje vast te pakken.

Verbaasd keek ze hem aan.

'Liefste eega, vrouw der vrouwen. Dit is mijn eerste geschenk aan jou. Zweer me dat je het nooit zult verliezen.' Hij haalde een klein pakje uit zijn zak.

'Doe eens normaal, Jelle. We hebben nu geen zin in dat Shakespearegedoe. Trouwens Othello praatte niet op die manier', zei Mandy. Bijna hulpeloos keek Anneleen van de een naar de ander. Hier snapte ze werkelijk niets van.

'O nee? Hoe praatte hij dan wel? En trouwens, hoe weet jij hoe hij praatte? Je was er toch ook niet bij?' Hij gaf het cadeautje aan Anneleen. 'Nog een keer, niet verliezen, hé?'

'Natuurlijk niet. Bedankt', zei Anneleen terwijl ze de verpakking openscheurde. 'Zakdoekjes?' riep ze verwonderd uit.

'Ja. Heel toepasselijk. Vind je niet, Anneleen?' vroeg Jelle.

Anneleen haalde haar schouders op. Ze was toch niet verkouden of zo?

'Othello gaf toch ook een zakdoek aan Desdemona. Zijn eerste geschenk? Nu heb je tenminste een fatsoenlijke zakdoek voor op het toneel. Anders gebruik je altijd van die papieren gevallen. En die bestonden nog niet in de tijd van Shakespeare.'

Weer niet begrepen. Anneleen bleef hem aankijken en voelde zich ontzettend stom.

'Wel jammer dat we de repetities een tijdje moeten uitstellen, maar geen probleem. We lossen het wel op', zei Jelle.
'Welke repetities?' vroeg Anneleen wat verbaasd.
'De voordrachtwedstrijd, remember?' Even hield hij op en leunde op het voeteneind. 'Toe nou, Anneleen, doe niet alsof je het niet meer weet. Dat stuk van Shakespeare waaruit we een deel opvoeren. Herinner je je dat niet? We hebben een fragment in de Engelse les gelezen en je vond het heel mooi. Toen hebben we het stuk bewerkt. Jij speelt Desdemona en ik ben Othello. Als de opvoering begint, zijn we net in het geheim getrouwd.'
Dus toch. Alleen was het een toneelspel.
'Waarom in het geheim?' vroeg ze. Het was toch veel leuker om er een groot feest van te maken.
'Omdat je vader daar tegen was. In het toneelstuk bedoel ik. In het andere geval zal hij dat waarschijnlijk ook nog zijn. Echt Anneleen, je moet beslist nog eens naar de tekst kijken.'
Anneleen haalde haar wenkbrauwen op en zuchtte bijna onmerkbaar.
'Ik heb die tekst niet. Wanneer geef je hem?' vroeg ze na enkele tellen.
'De tekst? Intussen ken je de tekst toch? We hebben al zo vaak gerepeteerd en dat ging goed.'
Nu was Anneleen nog meer in de war. Nee, ze durfde niet te vertellen dat ze zich niets van die tekst herinnerde.
'Hou op over die tekst, Jelle. Hier Anneleen, pak aan.' Mandy gaf haar het kleine pakje.
'Dank je. Ook iets voor de voordracht?' vroeg ze met een glimlach.
'Zou kunnen, maar het hoeft niet. Kijk eerst of je het leuk vindt.'
'Cool! Dat heb ik al altijd willen hebben', zei Anneleen terwijl ze een brede, gevlochten, zwarte armband uit de verpakking haalde.

'Bedankt. Ik ben er heel blij mee. Mandy, help je me even? Met dat gips...'
'Natuurlijk. Geef hier.'
'Nu ben je nog mooier, lieve Desdemona', grijnsde Jelle toen Anneleen de armband om had.
Die woorden maakten haar bang.

# Drie

De volgende maandag mocht Anneleen naar huis. Mama haalde haar op.

Anneleen keek in haar slaapkamer rond alsof ze hem drie weken lang niet gezien had. Ze plofte neer op het bed en glimlachte toen ze haar rugzak zag staan. School leek zo ver weg. En Mandy ook. Jammer dat ze haar nu niet kon bellen. Ze zou nog minstens twee uur moeten wachten.

'Red je het, engeltje?' vroeg mama die in de kamer kwam. Ze had haar jas al aangetrokken.

'Natuurlijk. Is papa ook alweer naar zijn werk?'

'Ja. Ze hadden hem dringend nodig. En ik moet er ook vandoor. De patiënten wachten', zei mama die op haar horloge keek. Ze was fysiotherapeut en deed huisbezoeken.

'Geen probleem', zei Anneleen terwijl ze ging liggen.

'Dus mochten ze bellen van het architectenkantoor…'

'Dan zeg ik dat papa al vertrokken is. Komt in orde, mama.' Anneleen sloot haar ogen.

'Probeer maar te slapen', zei mama die de deur achter zich dichttrok.

'Doe ik.'

Slapen? Vaag herinnerde ze zich een andere stem die ook gezegd had dat ze moest slapen. Die stem klonk geërgerd, bijna boos, omdat Anneleen niet had kunnen doen alsof. Ze had de ene lachbui na de andere gehad. O shit, nu wist ze het weer. Het was tijdens een repetitie voor de voordrachtwedstrijd geweest!

Nauwelijks een halve minuut later ging Anneleen weer overeind zitten.

'Mam?'

Anneleen stond op. De kamer tolde. Voorzichtig ging ze naar de deur en riep nog een keer in de gang.

'Ja?' antwoordde mama die het eindelijk gehoord had. 'Is er wat?'

'Weet jij iets over een tekst voor de voordrachtwedstrijd? Jelle praatte erover, maar ik weet niet...'

'Ik heb hem niet gezien. Misschien ligt hij in een lade van je bureau? Vergeet niet dat je eerst moet rusten.'

'Ik wil alleen even kijken', zei Anneleen. Ja, nu herinnerde ze zich dat ze alle papieren in verband met Othello in de bovenste lade opgeborgen had. Ze trok de lade open en haalde er de tekst uit. Met ingehouden adem begon ze te lezen.

Doek gaat open.

*Othello staat op het toneel. Desdemona komt op.*

*Othello: O, mijn lieve Desdemona, wat ben ik blij dat ik je zie. Ik was bang dat je vader, senator Brabantio, je in mijn huis gevonden had. Misschien had hij je wel ontvoerd, je uit Venetië weggebracht. Dat zou ik vreselijk gevonden hebben.*

*(Othello houdt zijn armen gespreid.)*

*Desdemona: Echt waar? Meen je dat? Ben je dan zo gek op mij?*

*(Desdemona houdt haar handen tegen haar hart gedrukt.)*

*Othello: Natuurlijk. Zonder jou is het leven niet boeiend meer. Zonder jou gaat voor mij de zon niet meer op. Zonder jou heb ik niet de kracht om in Cyprus tegen de Turken te vechten. Sterker nog, zonder jou wil ik niet eens leven.*

Anneleen fronste haar wenkbrauwen. Vaag herinnerde ze zich dat ze samen met Jelle in de bibliotheek een boek had gezocht van die Engelse toneelschrijver. Zijn naam ontsnapte haar, hoewel hij wereldberoemd was.

Anneleen sloot haar ogen. Het leek alsof die naam in haar hoofd dichter en dichterbij kwam. Maar ze kreeg hem niet te pakken, hoe hard ze het ook probeerde. En nu dreef hij alweer weg. Ze hadden alleen maar een Engelse versie van Othello gevonden. Naar het Nederlands vertalen hadden ze geen van beiden zien zitten. De tekst helemaal lezen was te moeilijk geweest. Maar tijdens de Engelse les hadden ze wel een video van Othello gezien. Met een heel goede vertolking van Kenneth Branagh. Na de film hadden ze een nieuwe toneeltekst geschreven. Een eigen versie van Othello met elementen uit het oorspronkelijke verhaal. En alleen dialogen tussen Othello en Desdemona. Of ze hadden toch een poging gedaan om zo'n tekst te schrijven. Jelle had hem zelfs af en toe grappig gevonden.
Zuchtend las Anneleen verder.

*Desdemona: Ik laat me niet gevangennemen en zeker niet door mijn vader. Weet je wat hij zou doen? Me in mijn kamer opsluiten en ons huwelijk laten ontbinden. Is dat niet vreselijk? Ontbinden, terwijl ik je vrouw wil zijn, voor eeuwig en altijd.*
*Maar... je maakt me wel bang. Ik wil niet dat je sterft. Ik wil al helemaal niet dat je op Cyprus gaat vechten. Kun je Cassio, je nieuwe luitenant, sturen in jouw plaats?*

Had ze dat echt allemaal uit het hoofd geleerd? Mandy had beweerd van wel. Shit, haar hoofdpijn werd weer erger. En dan zo'n tekst opnieuw instuderen? Nee, dat zag ze voorlopig niet zitten. Moedeloos legde ze de vellen papier neer.
Misschien kon ze eerst een poosje televisiekijken om tot rust te komen. Anneleen zapte. Opeens hield ze haar adem in. Hé? Wat was dat? Een arm? Nee, een pols. Iemand had in die pols verschillende sneden gemaakt. Of waren dat krassen? Een tijdje geleden had mama verteld dat een van haar patiënten gekrast had.
Huiverend voelde Anneleen aan haar linkerpols.

# Vier

'Hé, Mandy. Cool dat je er al bent. Ik dacht dat je eerst met Wervelino zou gaan rijden. Dat doe je toch elke woensdagmiddag?'
Anneleen lag op haar bed met de toneeltekst in haar hand. Met een zwaai deponeerde ze de tekst naast zich. Enkele vellen dwarrelden op de grond.
'Eerst was ik dat ook van plan, maar toen dacht ik eraan hoe eenzaam jij hier wel was en ben ik naar je toe gekomen. Jij bent nog altijd belangrijker dan dat paard. Ik heb me wel vreselijk moeten haasten, weet je. Ik moest de manege nog bellen om te zeggen dat ik later zou komen. Hoe voel je je?' vroeg Mandy terwijl ze de tekst opraapte en op het bureau legde. Toen ging ze op de rand van het bed zitten.
'Beter. Ik heb in ieder geval minder hoofdpijn. Zeg, wat vind je hiervan?' Anneleen stak haar arm uit.
'Cool, echt. Die armband past bij je. Ik heb altijd gedacht… '
Mandy zweeg toen de gsm van Anneleen een signaal gaf. Anneleen pakte hem van haar nachtkastje.
'Wat heb je altijd gedacht? O. Jelle alweer. Het laatste halfuur heeft hij me al drie sms'jes gestuurd', grinnikte ze.
'Drie? Hola! Wat moet ik daarvan denken? En ik die dacht dat je eenzaam was', zei Mandy die met haar vingers haar lange bruine haren kamde. 'Naar mij sms't hij nooit.'
'Nou, je moet niet overdrijven. Hij sms't alleen maar zinnen uit onze dialogen.'

Anneleen las het bericht. Er verscheen een stralende glimlach op haar gezicht.

'Is dat wel zo? Waarom word je dan opeens zo rood?'

'Ik word helemaal niet rood.'

Toen barstte Anneleen in lachen uit.

'Hij overdrijft. Hij is nog erger dan jij. O God, hoe bedenkt hij het?'

Met haar duim tikte ze een bericht.

Bijna meteen was er weer een sms. Anneleen schaterde en antwoordde.

'Hé zeg, ik ben er ook nog. Leg je mobieltje eens weg', klaagde Mandy.

'Doe ik. Ogenblikje nog.'

Weer een signaal.

'Yes!'

Het enthousiasme droop van Anneleens gezicht af.

'Toe nou, Anneleen. Je kijkt niet eens naar me om. Ik had net zo goed niet kunnen komen. Zijn jullie verliefd of zo?'

Verbaasd keek Anneleen op. Was Mandy boos? Dat gebeurde anders nooit. Ze was toch niet jaloers? Anneleen draaide zich om en legde het mobieltje op haar nachtkastje. Toen keek ze nog eens naar de tekst die ze op de display had laten staan. *Hou van me, Desdemona. Zeg dat je van me houdt*, stond er. Zou Jelle haar met die woorden iets willen vertellen? Of was het alleen theatertekst?

'Helemaal niet. Alleen...' Er zat een glinstering in haar ogen.

'Hé zeg, hoe kom jij hier?' vroeg ze aan Jelle die er ook opeens was.

'Door de deur, slimpie. Je moeder heeft me binnengelaten. Ik kom kijken wat er aan de hand is. Je hebt mijn laatste sms niet beantwoord. *Ben je me vergeten, lieve Desdemona? Denk je niet meer aan mij? Ben je dan toch gevallen voor Rodrigo die in een goed blaadje bij je vader staat?*'

Jelle maakte een gebaar met zijn arm.

'*Natuurlijk niet, mijn Othello. Hoe kun je dat nu van mij denken? Ik heb de hele tijd...*' Roerloos bleef Anneleen zitten. Het werd droog in haar mond. Ik heb de hele tijd... De hele tijd? Wat had ze de hele tijd? O, hoe liep die zin? Waarom kende ze die tekst niet meer? Beschaamd keek ze eerst naar Mandy en toen naar Jelle. O nee, die blik in zijn ogen. Was het ongeloof? Of onbegrip?

'*Ik heb de hele tijd op je gewacht*', zei hij langzaam. Hij sperde zijn neusgaten open. Anneleen knikte. Ze voelde hoe ze wit wegtrok.

Toen leek hij weer zachter te worden.

'Maak je geen zorgen, Anneleen, je hebt een hersenschudding gehad', zei hij. 'Het wordt wel beter. Echt, het komt allemaal in orde.'

Anneleen zuchtte.

# Vijf

De volgende dag stond Anneleen na schooltijd bij het raam in de woonkamer. Ze wist dat Jelle nu ongeveer zou thuiskomen. Haar hart sloeg iets sneller toen ze hem eindelijk zag. Hij zwaaide en hij riep iets, maar het waaide zo hard dat ze hem niet hoorde. Ze trok haar schouders op en wenkte. Hij stak zijn duim omhoog.

Anneleen liep naar de voordeur en liet hem binnen.

'Hoi, heb jij vandaag geluk gehad! Jij hebt niet moeten fietsen', zei hij terwijl hij zijn jas uittrok en aan de kapstok hing.

'Ik zou het anders wel gewild hebben. Weet je dat ik me hier verveel?'

'Kan ik nauwelijks geloven. Ik zou me heel goed kunnen amuseren mocht ik onverwacht enkele dagen vakantie hebben. Hoewel het vandaag superleuk was op school.'

'Je kunt moeilijk beweren dat ik vakantie heb, Jelle. Ik heb nog altijd hoofdpijn en ik ben moe van de medicatie.' Ze legde haar hand op haar voorhoofd. 'Kom mee', zei ze terwijl ze hem naar de woonkamer loodste. 'Superleuk zei je? Wat, bedoel je daarmee?'

'Er is een nieuw meisje in de klas. Fran heet ze.'

'Fran?'

'Ja, je had haar moeten zien. Ze droeg een truitje met een lange ritssluiting middenvoor. En opeens trok ze die trui uit. En toen... Wauw!'

Anneleen staarde naar hem met gefronste wenkbrauwen.

'Droeg ze niets onder die trui?' vroeg ze eindelijk.

'Het scheelde niet veel. Alleen zo'n laag uitgesneden topje dat aan alle kanten nauw aansloot en ze ...'

'Ja, het is al goed', zuchtte ze.

'Maar ze mag er zijn, Anneleen. Echt! Zwarte krullende haren, bruine huid, donkere ogen, rode lippen. En slank. Tenger. Perfect gewoon.'

Anneleen haalde diep adem en voelde zich hoe langer hoe onbehaaglijker. Ze wist best dat ze aanleg had om mollig te worden. En het ergste was haar neus. Die was veel te lang. Letterlijk.

De woorden rolden verder uit Jelles mond.

'Je zou moeten zien hoe ze loopt. Iedereen kijkt naar haar.' Hij maakte een gebaar met zijn hand en hij tuitte zijn lippen. 'Haar houding is... Tja, hoe zou ik zeggen. Bijna zoals in een toneelspel, haar bewegingen zijn afgewerkt. Ze is gewoon anders dan wij allemaal.' Hij maakte een gebaar met zijn arm. 'Haar stem klinkt...'

'Hou op, Jelle!' riep Anneleen uit. 'Ik hoef niet te weten hoe haar stem klinkt. Denk je nu echt dat het voor mij zo leuk is om te horen hoe jij haar ophemelt? Nog meer, het interesseert me niet.'

Er verscheen een grimmige trek rond haar mond. De sfeer was opeens veranderd. Anneleen rilde. Zolang ze zich kon herinneren was Jelle haar maatje geweest. Ze trokken altijd samen op. Ze kende hem door en door. En zoals nu had ze hem nog nooit gezien.

'Je lijkt verdorie wel jaloers', zei hij.

'Huh? Waarom zou ik jaloers zijn?'

Onhandig pakte ze een zakdoek uit de lade van haar nachtkastje en snoot haar neus. Jelle had haar pijn gedaan. En hoe. Maar dat kon ze hem niet vertellen.

'Misschien omdat jij...' Haar adem stokte en hij hield op.

'Omdat ik niet zo perfect ben?' Ze spuwde de woorden uit.

'Dat weet ik maar al te goed. Daarom hoef ik toch niet jaloers te zijn. Als het allemaal waar is wat je over die Fran verteld hebt zouden alle meisjes van de school jaloers moeten zijn.' Tranen prikten achter haar oogleden. Ze pinkte ze weg en dat had hij gemerkt.

'Sorry. Ik wilde je niet kwetsen, Anneleen.'

'Natuurlijk niet. Kom je vanavond nog terug om te repeteren voor de wedstrijd?'

Jelle haalde zijn schouders op.

'Geen idee. Fran zou me vandaag nog opzoeken. Toen ze van de wedstrijd hoorde, zei ze meteen dat ze ook wil deelnemen. Het zou me niet verbazen als ze een sterke concurrente is.'

'Dan moeten wij dubbel zo goed zijn. En zullen we veel moeten repeteren.'

'Zeker weten', mompelde hij.


Een poosje later stond Anneleen met haar gsm in de hand voor haar slaapkamerraam.

'Mandy? Met mij. Jelle is hier geweest en hij vertelde over dat nieuwe meisje.'

Er zinderde iets op de lijn.

'Fran! Dat is nogal een exemplaar. De sfeer in de klas is helemaal veranderd. En niet in positieve zin, geloof me.'

Anneleen slikte.

'Hoe kan dat nu?'

'Dat vraag ik me ook af, maar het is wel zo. En ze is nog maar een dag op school. Ze flirt met elke jongen. Zelfs met de leraren.'

'Ook met Jelle?' vroeg Anneleen met ingehouden adem.

'Vooral met Jelle en Jelle met haar. De schoft!'

Anneleen verstijfde. Mandy vertelde verder, maar Anneleen hoorde het nauwelijks. Ze had het wel gemerkt dat Jelle veranderd was.

'Hé? Anneleen? Ben je er nog?'

'Ja. Wat vertellen de andere meisjes uit de klas over knappe Fran?'

'Ik denk dat ze het nu al bij iedereen verknald heeft. Ze doet erg uit de hoogte. Nee, een lieve klasgenote zal ze nooit worden. Ik ben benieuwd wat jij van haar zult vinden.'

Anneleen knikte en zuchtte toen.

'Ik ook. Maandag zal ik het je kunnen vertellen', zei ze.

'Maandag? Kom je maandag naar school? Tof zeg! O, ik heb nog een nieuwtje. Denk ik. Weet je al dat Vic zal zorgen voor de belichting en het geluid tijdens de voordrachtwedstrijd?' vroeg Mandy.

Vic was een klasgenoot.

'Nee, dat wist ik nog niet. Maar het verbaast me niet. Zijn vader is een cameraman.'

'Klopt. O, mama roept me. Ciao!'

# Zes

'Anneleen, ben je klaar?' riep mama de volgende maandagmorgen. 'Jelle staat al op straat bij de auto te wachten. Ik ga naar buiten. Haast je.'

'Ik kom eraan', riep Anneleen die haar rugzak vastpakte. O God, ze was de print met haar toneeltekst vergeten. En nu kwam er ook alweer hoofdpijn opzetten. Misschien toch nog eerst een aspirine halen?

Anneleen haastte zich naar de keuken. De doos met aspirines stond op het aanrecht. Anneleen haalde een fles water uit de koelkast en liet die bijna vallen toen de keukendeur openging.

'Mam, doe dat niet', zei ze. 'Je laat me schrikken.'

Ze haalde een glas uit de kast, schonk het halfvol en gooide een aspirine in haar mond.

'Rustig, Anneleen. Ik wou je komen helpen. Hé, heb je weer hoofdpijn? Zou je niet liever nog een dag thuisblijven?'

Anneleen dronk haar glas leeg en schudde toen haar hoofd. Wat dacht mama nou? Nee, ze wilde naar school. Ze moest naar school, hoe lastig het ook zou zijn. Wat ze eigenlijk wilde, was Fran ontmoeten en zien waarom Jelle zo van haar onder de indruk was.

'Nee, het lukt wel. Ik ben bijna klaar. Ik moet alleen nog mijn toneeltekst uit mijn kamer halen.' Ze keek op haar horloge en struikelde over haar rugzak.

'Rustig! Maak je toch niet zo druk. Heb je die tekst echt nodig? Waarom ben je zo zenuwachtig?'

Omdat ze vandaag Fran zou ontmoeten. Dé Fran. Omdat ze misschien dingen over haar zou ontdekken die ze niet leuk zou vinden. En omdat Jelle ietsje te veel met Fran bezig was. Daaraan had ze afgelopen nacht de hele tijd moeten denken. Eindeloos hadden haar gedachten door haar hoofd getold. Maar dat kon ze toch niet aan haar moeder vertellen?

'Ik ben niet zenuwachtig', loog ze. 'Het is alleen vervelend dat ik altijd hoofdpijn heb. Maar met die aspirine... Ik hoop dat ik niets vergeten ben.'

'Maak je daarover maar geen zorgen. Kom, Jelle wacht. Ik draag je rugzak wel.'

Mama legde haar arm om Anneleens schouder. Ze gingen naar buiten.

'Hoi', zei Jelle. Hij liet enkele vellen papier in zijn rugzak glijden.

'Hé, wat een geluk dat jij onze toneeltekst bij je hebt. Ik heb de mijne in mijn kamer laten liggen en…'

'Nee, sorry, ik heb hem niet bij me. Van Othello heb ik zelfs geen print meer nodig. Ik ken die tekst helemaal uit mijn hoofd.'

'Maar je was toch naar een tekst aan het kijken? Hebben we vandaag misschien een toets?' vroeg Anneleen terwijl ze instapten. Anneleen voorin en Jelle achterin. Anneleens moeder startte de auto en reed de straat uit.

'Nee, geen toets. Ik ben een toneelstuk aan het lezen. Romeo en Julia.'

Anneleen fronste haar wenkbrauwen. Ze draaide zich naar Jelle om.

'Vind je Othello misschien niet meer goed? Wil je Romeo en Julia opvoeren?'

'Nee, nee.' Opeens keek Jelle heel erg geïnteresseerd uit het raam.

'Waarom heb je die tekst dan bij je?'

'Gewoon. Alles wat Shakespeare geschreven heeft, interesseert me. En het is ook een heel beroemd stuk natuurlijk.'
Anneleen knikte traag. Er was wat. Ze kende hem te goed om het niet te merken. En ze wist ook dat hij het niet meteen zou vertellen. Dat zag ze aan de manier waarop hij zijn lippen op elkaar duwde.
'Ik heb je het hele weekend niet gezien', zei Anneleen. Bijna had ze gezegd dat ze hem gemist had, dat ze op hem gewacht had.
'Ik weet het. Sorry. Ik wilde je wel opzoeken, maar Fran is verschillende keren geweest en...'
Anneleen knikte. Fran alweer. Moest ze dan echt geloven dat hij het hele weekend geen tien minuten tijd voor haar had gehad door de bezoeken van Fran? En dat terwijl hij gewoonlijk elke dag wel even aankwam.
'Waarom is Fran van school veranderd?' vroeg mama opeens.
'Ze zijn hierheen verhuisd. Het heeft met haar vaders werk te maken. Ik weet het niet meer precies', antwoordde Jelle.
Anneleen knikte weer en bleef dromerig voor zich uit staren tot mama voor de ingang van de school stopte.
'Succes, Anneleentje. Mocht er iets zijn bel je me maar. Dan kom ik je meteen halen.'
'Dat weet ik. Dag mam.' Ze sloeg het autoportier dicht.
'Bedankt voor de lift', zei Jelle.
Anneleens moeder reed weg en de jongelui wandelden naar het schoolplein.
'Hé Fran', riep Jelle opeens. 'Heb je gisteren nog naar die tekst gekeken?'
Een heel mooi meisje dat wat verder op het schoolplein stond, draaide zich om. Met snelle passen liep Jelle naar haar toe. Verbaasd bleef Anneleen staan. Ze kon niet meer horen wat ze tegen elkaar zeiden. Blijkbaar was het heel grappig, want ze lachten hard.

Plotseling legde iemand een hand op de schouder van Anneleen. 'Hoi.' Het was Mandy. 'Wat vind je van Fran?' vroeg ze.
'O, dat weet ik nog niet. Heeft ze altijd zo veel plezier?' Anneleen wees met haar hoofd naar Jelle en Fran die intussen middenin een groepje jongens stonden.
'Ja, zo is ze', zei Mandy. 'Kom mee, dan stel ik je voor. Ik draag je rugzak wel.'
Anneleen volgde Mandy. O, zoals Fran er uitzag! Ze leek wel uit een modeblad gestapt. Anneleen moest enkele keren slikken. Ze voelde zich niet lekker worden.
'Fran, dit is mijn beste vriendin Anneleen', zei Mandy.
Fran keek even om en glimlachte naar Anneleen, maar haar ogen stonden koud.
'Hoi', zei Anneleen aarzelend.
'Ook hoi', antwoordde Fran. Bijna meteen draaide ze zich weer naar de jongens. 'Weet je dat ik al eens een spreekvaardigheidwedstrijd gewonnen heb? Een fluitje van een cent. De andere kandidaten hadden gewoon geen kans.'
'Dat kan ik geloven', zei Jelle. Hij praatte feller dan gewoonlijk en zijn gezicht sprak boekdelen.
Anneleen zuchtte bijna onhoorbaar. Zo had ze Jelle nog nooit gezien. Anneleen deed enkele passen achteruit. O Jelle, ga met me mee. Kijk naar me.
'Kom mee, Anneleen', zei Mandy. 'We gaan naar binnen.'

# Zeven

Einde van de schooldag. De leerlingen liepen naar buiten.

'We moeten weg, Jelle', zei Anneleen toen ze op het schoolplein kwamen. 'Bijna zeker dat mama al staat te wachten.'

Hij zuchtte en stopte zijn handen diep in de zakken van zijn spijkerbroek.

'Ga maar. Ik blijf nog even hier.'

'Maar we moeten meteen gaan. Mama moet naar haar patiënten. We zouden je toch naar huis brengen?'

Anneleen schudde haar hoofd en prutste aan haar gips.

'Hoeft niet. Over een uur heb ik een bus. Ik wil liever nog wat blijven kletsen ...'

Hij keek om. Toch niet waar dat hij alweer Fran zocht? Anneleen kreeg een prik van jaloersheid.

'Kletsen met Fran?' vroeg ze. Er klonk iets als pijn in haar stem. Sinds dat ongeluk was haar hele leven veranderd. Weg vertrouwde wereld! Waarom kon alles niet blijven zoals het ooit was geweest?

'Fran wilde nog iets vragen over de voordrachtwedstrijd. Ze overweegt om Cleopatra of Hatsjepsoet te spelen, maar eigenlijk zou ze een schitterende Julia zijn. Ze heeft er in ieder geval het figuur voor', zei Jelle.

'Ach, nu weet ik waarom jij Romeo en Julia leest. En kan ze het niet een andere keer bespreken?' snauwde Anneleen.

Hij keek weg.

'Hoeveel jaren fietsen we al samen naar school? En omdat ik nu in het gips zit en nog last heb van die hersenschudding wil jij niet meer...' Ze beet op haar onderlip.

'Hé zeg! Nu kun jij niet fietsen. En waarom zou ik altijd met je mee moeten?' Zijn stem klonk behoorlijk bits.

Anneleen kromp ineen. Ze keek naar haar gips. "Voor mijn coole buurmeisje" had Jelle er in rode stift opgeschreven. Wel duidelijk dat hij haar nu niet meer cool vond. Tranen prikten.

'Je moet niks. En zeker niet als je daar zo'n hekel aan hebt. Wie had dat kunnen denken?' Ze snifte. 'Het komt door Fran, hè? Ze heeft jou helemaal veranderd. Ze hoeft maar met haar vingers te knippen om jou te laten...'

'Om mij te laten wat? Als er iemand veranderd is, dan ben jij het wel. Ik wist niet dat jij zo jaloers was.'

Anneleen voelde het bloed uit haar gezicht wegtrekken.

'Hoe durf je! Val dood, Jelle.' Ze vluchtte weg.

'Jaloerse trut', hoorde ze hem roepen.

# Acht

Twee uur later klopte iemand op de kamerdeur van Anneleen.
'Ja?' riep ze verstrooid.
'Mag ik binnenkomen?' vroeg Jelle.
'Natuurlijk.' Ze keek onzeker. 'Ik had je niet meer verwacht.'
Langzaam kwam ze overeind en ging voor hem staan.
'Waarom niet? We zouden toch repeteren? Ik wil die wedstrijd
winnen, dus moet er hard gewerkt worden. Sorry trouwens
voor daarnet.' Hij wreef even in zijn ooghoek.
Anneleen knikte. Natuurlijk was ze blij dat hij sorry zei, maar
daarmee was de pijn niet weg. Hij had haar vreselijk gekwetst
en dat moest ze nu verbergen. Ze wilde niet dat hij haar een
zeur zou vinden.
'Ik was de toneeltekst nog eens aan het lezen.' Haar stem
klonk hoger dan gewoonlijk. Ze kuchte een paar keer.
'Mooi. Dan kunnen we beginnen?' Hij trok zijn jasje uit. Met
een zwier gooide hij het op haar bed.
'O, mijn lieve Desdemona, wat ben ik blij dat ik je zie', zei hij met
zijn hand op zijn borst.
Anneleen glimlachte terwijl Jelle verder ging, maar die glimlach
was niet echt. Net als de woorden die hij zei. Woorden waren zo
goedkoop. Ze kon helemaal niet geloven dat hij in werkelijkheid
blij was omdat hij haar zag. Of misschien toch, omdat hij met
de repetities kon doorgaan.
'Toe nou Anneleen, je bent verstrooid.'
Anneleen schrok. 'Wat?'

'Ik heb al een deel van jouw tekst voorgedragen en je hebt het niet eens gemerkt.'

Protesteren had geen zin. Ze had niet goed geluisterd. Ontmoedigd zuchtte ze en keek naar het plafond. Wat was ze moe.

'Misschien komt het door die hersenschudding. Kom, we proberen het opnieuw. Ik herhaal mijn laatste zin. *Ik kan Cassio niet in mijn plaats sturen. Ik draag een grote verantwoordelijkheid.*' Hij keek haar ongeduldig aan.

Anneleen glimlachte. Ja, dat had hij inderdaad gezegd. Ze spreidde haar armen en haalde diep adem.

*'Dan ga ik gewoon met je mee. Ik laat je nooit meer alleen. Zeker op Cyprus niet. Zelfs geen seconde! We zullen van elkaar genieten. Moet heerlijk zijn onder de warme zon.'* Toen ging ze bij het raam staan. Vragend keek ze Jelle aan. Wat had ze nu alweer fout gedaan? De ogen van Jelle schoten vuur.

'Anneleen, je let niet op. Je bent de helft vergeten. Je moet vertellen dat je me bewondert. En je hoeft nu nog niet bij het raam te staan. Kom op hé, concentreer je.'

Anneleen hapte naar adem. 'Sorry. *Ik bewonder je.*' En dan? O, ze wist het echt niet meer. Ze durfde nauwelijks nog naar Jelle te kijken. Hij maakte haar bang. Ze beet op haar bovenlip, sloot haar ogen en probeerde het jagen van haar hart onder controle te krijgen.

'Fran zou dit anders aanpakken.' Zijn stem klonk beschuldigend. Zijn woorden werkten als een koude douche.

'Wat heeft Fran hiermee te maken?'

'Hersenschudding of niet, Fran zou haar tekst kennen.' Hij ijsbeerde door de kamer.

'Ik zal mijn tekst ook kennen. Ik heb hem trouwens vroeger al ...'

'Hou op. Vooruit Anneleen. Zeg me na. *Ik bewonder je omdat je het tot generaal geschopt hebt. Onder jouw leiding kan deze oorlog nooit lang duren. De Turken zullen gauw inzien dat ze geen kans maken. Misschien word je zelfs gouverneur.'*

'Zeg, heb je die tekst veranderd misschien? Die laatste zin …' zuchtte ze.

'Zo kan ik niet werken, Anneleen.' Hij pakte zijn jasje en ging bij de deur staan.

'Ga je al weg?'

'Ja. Je kunt dit moeilijk repeteren noemen. Je kent je tekst niet eens. En ik heb nog wel heel speciaal een afspraak met Fran uitgesteld om hier te kunnen zijn.'

De mond van Anneleen viel open. Alweer Fran. Ze kon er niets aan doen, maar ze kreeg een grondige hekel aan Fran. Dat was nog zacht uitgedrukt.

'Een afspraak met Fran uitgesteld? Hebben wij al niet weken geleden afgesproken dat we op schooldagen elke avond zouden oefenen? Geef maar toe, Jelle. Onze afspraak was er het eerst.' Opeens praatte ze veel harder.

'Toen dacht ik nog dat jij ook de wedstrijd wilde winnen, dat je er helemaal voor zou gaan, maar nee.'

'Natuurlijk wil ik winnen, maar ik heb een hersenschudding. Kun je daar echt niet een beetje rekening mee houden?' Ze voelde tranen prikken.

Hij boog even zijn hoofd en kwam toen voor haar staan.

'Ik hou ermee rekening. Ik probeer het in ieder geval. Dat weet je toch? Begin eens met je in je personage in te leven, Anneleen. Laat dat zien dat je van Othello houdt. Straal dat uit.'

Anneleen zuchtte en keek naar de vloer.

'Hoe moet ik dat laten zien? Ik heb moeite met die tekst. Die zinnen komen onnatuurlijk over. Kunnen we ze niet wat eenvoudiger maken?'

Hij schudde zijn hoofd.

'Nee. Hoe kun je daar nu moeite mee hebben? Zeg ze gewoon op een andere manier. Geloof wat je zegt. Ontspan je. Concentreer je. Breng meer variatie in je stem. En stel je voor dat je op het toneel staat. Speel voor een publiek, Anneleen.'

De woorden buitelden over elkaar.

'Ik probeer het, maar het lukt me niet. Nog niet. Ik bedoel vandaag niet. En trouwens, waar zit dat publiek? Aan welke kant?'

'Verdorie, Anneleen! Wat een vraag! Hoe kan ik nu weten waar dat publiek zit? Overal! Je moet het je gewoon voorstellen. Probeer het dan toch!'

'Loop naar de maan, Jelle. Vloek niet tegen me. En hier is geen publiek. Trouwens, je gaat te vlug. Ik vind dat we die tekst nog wat meer moeten bewerken. Hij loopt niet vlot.'

Anneleen wreef over haar ogen en snoof.

Hij maakte een afwijzend gebaar.

'Niks ervan. Je moet hem gewoon overtuigender zeggen. Met jou lukt dat nooit! Ik weet zeker dat Fran meteen zou snappen wat ik bedoel. Zij voelt mij veel beter aan.'

Anneleen hapte naar adem. Ze voelde iets als kou om haar hart.

'Hoe kun jij dat weten? Heb je al eens samen met haar toneelgespeeld misschien?'

Opeens besefte Anneleen dat Fran een potentieel gevaar was. Hij zou liever met Fran die scène spelen, maar dat was uitgesloten. Nee, dat zou ze echt niet toelaten. Ze zou zich concentreren en beter worden dan ooit.

'Fran is in alles goed', zei hij na een poosje. Hij knipperde even met zijn ogen.

'Fran is een snob. Arrogant tot en met', reageerde ze meteen.

Er was een intense spanning voelbaar.

'Je overdrijft. Je kent haar niet eens. Zie je wel dat je jaloers bent? Ik had toch gelijk.'

'Ik ben niet jaloers. Ik zou niet weten waarom ik jaloers zou moeten zijn. En in ieder geval niet op haar. Ze is niet eens bijzonder.'

De spanning was nu te snijden. Hij balde zijn vuisten. Anneleen dacht dat hij iets wou zeggen, maar hij draaide zich om en sloeg de deur achter zich dicht. Keihard.

# Negen

'Jelle?' riep Anneleen. 'O, Jelle, wat gebeurt er met ons? Vroeger hadden we nooit ruzie.' Ze keek door het raam en zag hoe Jelle met grote passen naar het huis aan de overkant van de straat liep. Ze ging op haar bed liggen en verborg haar gezicht in haar kussen.

'O Jelle, natuurlijk wil ik dat we winnen. Hoe kom je er bij dat ik niet zou willen winnen?' fluisterde ze. 'Het is allemaal de schuld van Fran.' Hé? Dat leek wel een echo.

Anneleen kwam overeind. Ze sloot haar ogen en in gedachten zag ze Jelle voor zich staan. Ze deed enkele stappen voorwaarts.

*Ik zal je niet teleurstellen, Othello. Het is allemaal de schuld van Jago. Hij heeft Rodrigo meegestuurd naar Cyprus. Rodrigo is verliefd op mij en volgens het plan van Jago moet jij de indruk krijgen dat ik je ontrouw ben. Maar dat ben ik niet. Ik zou je niet eens kunnen bedriegen. Jago wil dat jij en ik van elkaar vervreemden. Hij is jaloers omdat je Cassio benoemd hebt tot luitenant. Jago wilde die baan. Hij vond dat hij daar recht op had. Merk je dan niet wat hij met ons doet? Ik hou van je, Othello, alleen van jou.'*

Anneleen liep weer naar het raam.

'Zie je wel dat ik mijn tekst ken, Jelle? Het is allemaal de schuld van Fran', riep ze uit. Met haar vuist klopte ze op het raam. 'Hé? Jelle? Heb je me gehoord?' Shit. Ze zou beter dat raam open kunnen doen.

Toen kwam haar moeder haar kamer binnen. Ze liet de deur op een kier open staan.

'Anneleen, gaat het? Waarom roep je zo? Jelle kan je niet horen.'

Anneleen keek beschaamd. Ze ging aan haar bureau zitten en rommelde in een stapel papier.

'Natuurlijk niet. Dat weet ik wel.'

'En wat is er de schuld van Fran? Dat is toch die nieuwe leerlinge?'

Opeens bleef Anneleen roerloos zitten. Mama was een schat, maar ze keek dwars door je heen. Ze las je gedachten alsof ze in de krant stonden.

Mama kwam dichterbij.

'Ik heb hoofdpijn', zei Anneleen. Met haar vingertoppen masseerde ze haar slapen.

'Hé? Je ontwijkt mijn vraag. Vertel maar wat er gebeurd is', drong mama aan.

Anneleen beet op haar onderlip. Natuurlijk kon ze heel open met mama praten, maar of ze dat wel wilde? Over Jelle praten was zich voor een stuk blootgeven en daar was ze nu nog niet klaar voor. Eerst moest ze voor zichzelf nog enkele dingen uitzoeken.

'Ik wil er niet over praten, mam.' Ze keek weg en prutste aan haar gips.

'Gaat het over die voordrachtwedstrijd?' Mama wist het blijkbaar al. Waarom vroeg ze het dan nog?

Mama legde even haar slanke hand op de rug van Anneleen.

'Ja. Daarnet is Jelle boos weggelopen. Hij mag me niet in de steek laten, mam.' Anneleen keek naar mama's regelmatige profiel en haar sierlijke kapsel.

'Luister, engel. Dat is niet zijn bedoeling. Maar hij wil die wedstrijd winnen en daar zal hij alles voor doen. Die jongen heeft enorm veel eergevoel. Met een tweede plaats is hij niet tevreden. Kan hij niet tevreden zijn. Dat heb je vroeger zelf verteld.

Hij droomt er al jaren van om later naar het conservatorium te gaan. En talent heeft hij zeker.'

Anneleen haalde diep adem en had een koppige frons op haar gezicht.

'En ik dan? Mag hij boos weglopen omdat ik wat minder talent heb? En hij had het ook voortdurend over Fran. Zij heeft hiermee toch niets te maken?'

'Anneleen, ben je verliefd op Jelle?'

'Mam! Nee! Wat een belachelijk idee trouwens!' Ze kleurde rood.

# Tien

De volgende morgen stond Mandy op het schoolplein op Anneleen te wachten.

'Hé, Anneleen. Ben je niet samen met Jelle naar school gekomen?' vroeg ze.

Anneleen zuchtte en maakte een grimas.

'De schoft is niet komen opdagen. Toen ik vanmorgen bij hem aanbelde, vertelde zijn moeder dat hij al heel vroeg met de fiets vertrokken was. Hij had een afspraak. Niet moeilijk te raden met wie.'

Anneleen haalde een kauwgom uit haar zak en stak hem in haar mond. Ogenschijnlijk heel kalm.

'O sorry. Ook een reep?' vroeg ze aan Mandy.

'Nee, dank je. Weet je wat ik vreemd vind? Dat Jelle zo voor Fran valt. Hij is anders zo'n streber, wil altijd met de leerkrachten blijven kletsen, maar nu? Hij heeft alleen nog oog voor haar', zei Mandy.

Anneleen schudde haar hoofd.

'Dat vind ik niet echt vreemd. Ze is heel knap. Veel knapper dan ik in ieder geval. Kijk eens naar mijn haar.' Anneleen pakte een pluk haar vast. 'Daar kan ik echt niks mee beginnen.'

'Probeer eens met gel. Je haar is mooi geknipt en… o kijk wie we daar hebben!'

Jelle kwam aangewandeld met zijn vuisten in zijn zakken.

'Anneleen?' Hij kwam nog wat dichterbij. 'Sorry, dat ik vanmorgen niet op je gewacht heb.'

Er flitste iets als een glimlach door zijn ogen. Uitdagend. Anneleen keek weg en zweeg.

'Beleefd is anders', zei Mandy. 'Zeker ook tegenover de moeder van Anneleen.'

'Het zijn jouw zaken niet, Mandy, en ik heb sorry gezegd.' Hij schopte een klein steentje weg.

Anneleen zuchtte diep.

'Anneleen. Nog iets', zei Jelle. Hij kuchte ongemakkelijk. 'Misschien is het wel beter als we voortaan niet meer samen naar school komen. Jij wordt met de auto gebracht. En voor mij is het gemakkelijker om met de fiets te komen. Als ik eens moet nablijven en zo...'

Anneleen knikte en trok even haar wenkbrauwen op. Haar keel zat dicht. Toch was het leuk om te merken dat Jelle zich niet erg prettig voelde. Wel duidelijk dat hij dit gesprek zo vlug mogelijk achter de rug wilde hebben.

'En vanavond kan ik niet komen om te repeteren, Anneleen', zei hij met harde stem.

Ze hapte naar adem.

'Waarom niet? Je wilt toch winnen? We zouden heel veel repeteren?'

Hij haalde zijn schouders op.

'Ik kan gewoon niet. Ik moet ergens anders heen. Maar dat komt jou toch goed uit? Dan heb je meer tijd om je teksten in te studeren. We moeten er nu eenmaal rekening mee houden dat je een hersenschudding hebt gehad.'

Mandy maakte een spottend sisgeluid.

'Jelle moet ergens anders heen. Waar zou dat kunnen zijn? En met wie?' vroeg ze.

'Rot op', schreeuwde hij. 'Bemoei je met je eigen zaken.'

Anneleen duwde haar nagels in haar handpalm.

'Meer tijd heb ik niet nodig. Ik ken mijn teksten', zei ze eindelijk.

'Huh? Gisteren in ieder geval niet. Voor mij was het gisteren helemaal niet leuk.'

'Dacht je dat het voor mij leuk was? Je was de hele tijd over Fran bezig. Je had me ook kunnen helpen! Je zegt wel dat je rekening houdt met die hersenschudding, maar je doet het niet', zei Anneleen verontwaardigd.

'Wel ja, weer mijn schuld. Ik vind dat je erg kinderachtig reageert.'

'Ik? Kinderachtig? En jij dan? Jij... Hé? Wacht!' riep Anneleen. Maar Jelle maakte een afwijzend gebaar en liep weg.

# Elf

Eindelijk ging de bel. De leerlingen wandelden hun klassen en de school uit. Anneleen slenterde naar het schoolplein. De hele dag had Jelle haar ontweken en dat deed pijn.

'Anneleen? Waarom wacht je niet op me?' riep Mandy die kwam aangelopen terwijl ze de ritssluiting van haar rugzak dichttrok. Toen hing ze de rugzak aan haar schouder.

'Sorry. Ik wilde gewoon weg. Ik ben moe', antwoordde Anneleen die over haar voorhoofd streek.

'Ik weet dat je je niet goed voelt. Wil je erover praten?' vroeg Mandy bezorgd.

Anneleen schudde haar hoofd. 'Praten lost niks op. De dokter beweert dat het een gevolg is van mijn hersenschudding.'

Maar iets bleef knagen. Het had niet alleen met die hersenschudding te maken. Dat wist ze best.

Toen ze op het schoolplein kwamen, merkten ze dat Jelle met Fran stond te kletsen. Ze hadden duidelijk heel veel plezier.

'Negeer ze', raadde Mandy aan. 'Het zijn gewoon druktemakers.'

Anneleen knikte en keek opzettelijk de andere richting uit.

'Hé, Anneleen?' riep Fran.

Verbaasd draaide Anneleen haar hoofd en bleef staan. Het was de eerste keer dat Fran iets naar haar riep of zelfs maar iets tegen haar zei.

'Weet je dat Julia bij Romeo wil zijn?' riep Fran.

Anneleen snapte er niets van, maar Fran en Jelle schaterlachten.

'Kom mee', zei Mandy. 'Die twee lijken niet goed bij hun hoofd.'

# Twaalf

Wat gebeurt er allemaal?' fluisterde Anneleen even later tegen haar spiegelbeeld. In huis was alles nog stil, want haar ouders waren er nog niet. En de stilte maakte dat ze zich eenzaam voelde.

Anneleen keek naar haar bleke gezicht. Haar ogen lagen diep in hun kassen. Misschien moest ze zich ook opmaken zoals Fran. En wat gel in haar bruine haren smeren. Ze zagen er altijd zo vormloos uit. En als ze Desdemona moest worden...

Met wilde bewegingen kamde ze haar haren. Toen ging ze aan haar bureau zitten en keek naar de toneeltekst.

'Verdomme', zei ze en sloeg enkele keren met haar vuist op de tafel. Waarom viel het allemaal zo tegen? Ze voelde tranen achter haar ogen prikken.

Opeens jeukte het onder haar gips. Hoe kon ze zich in godsnaam inleven in het personage Desdemona wanneer ze in het gips zat? En als het eronder jeukte? Hoe kon ze weten welke gebaren ze moest maken? Ze wist bijna niets over Desdemona. Jelle legde de lat veel te hoog.

En toch zou ze het moeten kunnen. Ze moest heel goed worden. En Jelle zou haar moeten leiden als een regisseur.

Misschien kon ze beter een sms naar Jelle sturen om te vertellen dat ze bedacht had hoe ze de zaak moesten aanpakken? Ze reikte naar de gsm die op haar nachtkastje lag. Net op dat ogenblik liet hij een vrolijke ringtone horen. "*Mandy*" las ze op de display.

'Hé, Anneleen, met mij. Zou je het leuk vinden als ik zo meteen even langskom?'
Anneleen haalde haar schouders op.
'Wel...huh...Ik vind dat altijd leuk. Maar is er een speciale reden of zo? Je moest toch naar de manege?'
'Klopt ja. Maar misschien kan ik je eerst nog wat helpen met die toneeltekst?'
Anneleen glimlachte.
'Lief van je, echt waar, maar het hoeft niet. Het lukt me wel. Laat je paard maar niet wachten. Hij kijkt naar je uit.'
'Weet ik wel, maar jij bent belangrijker. Tot straks dan?'
'Ja. Ciao.'
Anneleen duwde op het rode knopje en begon heel vlug een sms'je te typen.
*"Wil graag repeteren. Ik ken de tekst helemaal en heb nieuwe ideeën. Kom je?"*
Ze verzond het bericht naar Jelle en bleef wachten met haar mobieltje in haar handen. Intussen las ze de toneeltekst opnieuw. Af en toe hield ze daarmee op en keek ze naar de gsm. Waarom antwoordde Jelle niet? Hij moest haar sms toch gekregen hebben? Anneleen controleerde het nummer bij verzonden berichten. Zie je wel dat die sms verzonden werd? Toch vreemd. Zou hij zijn gsm uitgezet hebben? Ze duwde op enkele toetsen en hoorde zijn telefoon overgaan. Shit. Zijn antwoordapparaat sloeg aan. Toen hoorde ze zijn stem.
*"Hoi, wat wil je me vertellen?"*
Anneleen glimlachte. Wat moest ze vertellen? Dat ze aan het checken was of hij zou antwoorden?
'Met Anneleen. Ik vraag me af of je nog komt vanavond. Liefst wel, want ik heb enkele nieuwe ideeën voor Othello. Tot straks?'
Nieuwe ideeën? Ze kon er maar beter een paar gaan bedenken.

# Dertien

Later op de avond werd er gebeld. Anneleen schoot overeind op haar stoel. Aha! Hij kwam dus toch! Met opzet had ze haar kamerdeur op een kier laten staan. Ze hoorde hoe haar moeder de voordeur open deed.

'O Jelle, kom binnen. Anneleen had niet gezegd dat je nog zou komen', zei mama.

'Hoi. We hadden ook niet afgesproken. Ik kom gewoon iets vertellen. Het zal niet lang duren.'

Anneleen voelde iets als kou om haar hart. Wilde hij dan niet repeteren? Haar nieuwe ideeën uitproberen?

'Geen probleem. Je kent de weg. Loop maar door.'

'Bedankt.'

Anneleen hoorde gestommel op de trap. Ze werd met de seconde zenuwachtiger.

'Hoi', zei Jelle. Hij bleef in de deuropening staan met zijn handen in zijn zakken.

'Hoi', antwoordde Anneleen. 'Heb je mijn sms gekregen?'

'Yip.'

'Mooi. Waarom kom je niet binnen? Dan kunnen we meteen gaan repeteren.'

Anneleen bleef roerloos zitten. Ze voelde gewoon dat hij iets zou vertellen dat ze niet leuk zou vinden.

'Nee.' Hij schudde zijn hoofd. 'Ik kom je vertellen dat ik ...' Hij maakte een afwijzend gebaar met zijn hand.

'Dat je wat?' Ze fronste haar wenkbrauwen.

'Ik kom je vertellen dat ik andere plannen heb.' Hij keek naar beneden. Waarom deed hij zo geheimzinnig? Anneleen kwam overeind.

'Vanavond? Geen probleem. Dan repeteren we morgen wel.'

Eén ogenblik lang aarzelde Jelle.

'Niet alleen vanavond. Ik heb me bedacht. Ik doe Othello niet meer. Het stuk ligt me niet zo goed.' Even haalde hij zijn schouders op. 'Beter gezegd, de rol ligt me niet zo goed. Ik vind het stuk te zwaar. Ik heb liever iets dat leuker is. Een stuk dat ook beter bekend is bij het publiek. Ik weet zeker dat we met Othello nooit kunnen winnen.'

Anneleen staarde hem aan met open mond. Waarom had hij haar dan al die teksten laten instuderen? Kon hij dat niet eerder zeggen? Het zou haar heel veel hoofdpijn bespaard hebben.

'Zo, nu weet je het. Tot op school dan?'

Wat een toonbeeld van fijngevoeligheid!

'Nee, wacht. Hoe moet het nu verder? Ik kan niet geloven dat jij niet zult deelnemen aan de voordrachtwedstrijd. Dat is zo'n goede voorbereiding op het conservatorium!'

Hij zuchtte.

'Ik heb niet gezegd dat ik niet zal deelnemen. Ik heb alleen gezegd dat ik Othello niet wil spelen.'

Anneleen knikte.

'Welk stuk dan wel?'

'Romeo en Julia.'

'Huh? Romeo en Julia?' Anneleen keek verbaasd. 'Moet ik Julia spelen? Ik weet niet of dat zal lukken. Ik moet er niet aan denken.' Ze gooide haar hoofd achterover. 'Romeo en Julia zijn heel erg verliefd. En wij moeten dat spelen? Zelfs zoenen? O, Mandy zal genieten als ze dat hoort.'

Anneleen lachte. Opeens voelde ze zich heel goed. Tja, als ze eerlijk was, zag ze de rol van Julia toch wel zitten.

'Nee, eigenlijk niet', aarzelde Jelle. 'Ik had nog zo gehoopt dat je het zou snappen. Luister, Anneleen. Je bent mijn maatje, al altijd geweest, maar jij en ik kunnen de wedstrijd niet winnen. Daar kun jij niets aan doen. Je hebt er niet voor gekozen om een ongeluk te krijgen en een hersenschudding. Maar ik ook niet. Denk toch ook eens aan mij. Het is voor mij heel belangrijk om die wedstrijd te winnen, Anneleen. Gun me dat toch. Je weet dat ik naar het conservatorium wil.'

Het bleef even stil.

'Fran wordt mijn tegenspeelster. Alleen voor deze keer.'

'Fran?' fluisterde Anneleen. Haar adem stokte, maar ze vond heel snel haar stem terug. 'Je ruilt mij in voor Fran? Dit kun je niet menen. Jelle, dit kun je me echt niet aandoen. Is dit een flauwe grap of zo?' Ze praatte gejaagd.

Jelle probeerde te antwoorden, maar er kwam geen woord uit zijn mond. Hij keek naar buiten. Anneleen pakte zijn arm beet.

'Luister Jelle. Als je een ander stuk wilt dan Othello, mij goed, maar met Fran? Vertel me dat het een grap is.'

Hij rukte zijn arm los.

'Het is geen grap. Met haar is het gewoon leuker. Ze heeft heel veel talent. Op het toneel klikt het gewoon beter. Daarom hoef je nog niet jaloers te worden.' Met zijn vingers kamde hij zijn haren.

Anneleen zette een stap achteruit.

'Wat? Word ik jaloers? Toch niet op die trut? Je weet niet eens of ze kan spelen. Je hebt mij bedrogen, Jelle. We hadden afgesproken dat wij samen iets zouden brengen en nu dump je mij? Dat had ik nooit van jou kunnen denken. Jij bent een...'

'Ja, wat ben ik? Durf je het te zeggen?' onderbrak hij haar. Ze had tranen in haar ogen en ze snoof. Dit was waanzin.

'Moet ik dat nog zeggen? Jij bent geen vriend. Vrienden doen zoiets niet. Hoe durf je mij zo in de steek te laten? Jij bent een vreselijke egoïst. Je denkt alleen maar aan winnen.'

'En waarom zou ik niet alles doen om te winnen? Natuurlijk wil ik winnen. En jij bent zelf een egoïst. Je bent stikjaloers.' Jelle praatte harder. 'Denk je nu echt dat het zo leuk is om samen met jou toneel te spelen? Je schat jezelf veel te hoog in. Je kunt niet eens je teksten onthouden.'

Ze geloofde haar oren niet. Beurtelings werd ze rood en bleek. Ze balde haar vuist en ging dichter bij Jelle staan. Als hij zo bleef doorgaan zou ze hem een mep verkopen.

'Ik heb een hersenschudding gehad en dat weet je. En als je daarmee geen rekening kunt houden ben je het niet eens waard dat ik tegen je praat. Je bent nog erger dan...'

'Je denkt toch zeker niet dat ik naar al die verwijten zal blijven luisteren? Nu weet ik weer waarom ik voor Fran gekozen heb. Mij zie je hier niet meer terug.'

Hij holde weg. Ontdaan viel Anneleen op haar bed neer. Het leek alsof alle kracht uit haar lichaam weggezogen was.

# Veertien

'Engeltje? Gaat het niet? Wat was dat allemaal met Jelle? Hadden jullie ruzie?' vroeg mama die naast Anneleen kwam zitten. Anneleen kreunde.

'Hij laat me stikken, mam. Hij wil niet meer doorgaan met Othello.'

'Het is niet waar', fluisterde mama terwijl ze zachtjes haar rug streelde.

'Toch wel, mam.' Anneleen beet op haar lip. 'Hij heeft me ingeruild voor Fran.' Ze kwam overeind.

'Wat? De schoft. Ik zou hem tegen de muur kunnen plakken. En dat na al die inspanningen die je deed om die teksten te leren.' Mama keek haar ongelovig aan.

'Ja. Hij wil Romeo en Julia spelen.'

'Wat je nu zegt. Mooie Romeo is hij.'

'Ja, vreselijke Romeo. Op hem kun je niet rekenen. Maar wat moet ik eraan doen?'

'Tja, weet je wat ik in jouw plaats zou doen? Ervoor zorgen dat hij van hetzelfde laken een pak krijgt. Zoek een andere Othello en zorg dat hij de wedstrijd verliest.'

Nu was het aan Anneleen om ongelovig te kijken. Het van hem winnen was bijna onmogelijk.

'Het kan echt hoor met de juiste Othello! Engeltje, kom hier.' Mama trok haar dichterbij en kuste haar op haar hoofd. 'Ik ga de tafel dekken. Over een halfuurtje eten we en kunnen we verder praten, oké?'

Anneleen knikte.

'Nou, Anneleen, dat idee van je moeder is schitterend! Met een andere Othello is alles opgelost. Je moet toch iemand kunnen vinden?' zei papa. Mama ruimde de borden af en zette de fruitschaal op tafel.
'Ik zou heus niet weten wie. De andere jongens uit de klas lijken bijna allemaal nog kinderen. Met hen kun je niet samenwerken', antwoordde Anneleen die probeerde om haar vinger zo ver mogelijk onder haar gips te krijgen. O die vreselijke jeuk!
'Je overdrijft, Anneleen', zei papa. Hij pakte een appel.
'Ja, eigenlijk wel. Maar niet iedereen heeft zin om toneel te spelen. En niet iedereen kan het.'
'Je kent toch veel jongelui van de Academie?' vroeg mama.
'Ja, maar wie naar de Academie gaat, neemt al deel. Iedereen is al volop aan het repeteren. Ik ben gewoon te veel', antwoordde Anneleen terwijl ze een peer uitzocht en een mes vastpakte.
'Hé, zou je wel dat scherpe mes gebruiken? Met dat gips ben je niet zo handig weet je', zei mama.
'Het lukt wel', zei Anneleen.
'Kijk uit, Anneleen. Verdorie. Ik heb het net gezegd en je snijdt al in je vinger.'
'Het valt wel mee.' Anneleen keek hoe de snee rood kleurde. Intussen haalde haar moeder een pleister uit de keukenkast. 'Hier', zei ze.
'Is niet nodig, mama.'

Een half uur later keek Anneleen naar de rommel in haar kamer. Eigenlijk moest ze nodig opruimen. Wat een geluk dat haar moeder er nog niets over gezegd had.
Anneleen bukte zich en raapte enkele mappen op. Hoe waren die onder haar bureau verzeild geraakt? Ze opende haar lade om ze op te bergen en zag toen de Othellotekst liggen.
'O shit, Jelle!' fluisterde ze terwijl ze aan haar bureautje ging zitten. 'Wat heeft Fran dat ik niet heb?'

Ze duwde de nagel van haar duim in de snee. Bijna op het zelfde ogenblik hapte ze naar adem van de pijn. Een poosje bleef ze roerloos zitten. De pijn ebde weg. Anneleen ademde diep in en uit. Met het puntje van haar tong maakte ze haar lippen vochtig. Wat zou er gebeuren als ze...

Anneleen beet op haar onderlip en duwde voor de tweede keer haar nagel in de snee. Shit, dat deed nog meer pijn natuurlijk. Ze kneep haar ogen dicht en haar mond bleef openstaan. Bloed. Bloed wilde ze zien. Nu beet ze op de binnenkant van haar wangen, trok en duwde aan de snee tot er bloed tevoorschijn kwam. Ze probeerde het uit te smeren over de Othellotekst. Nee, dat lukte niet. Ze had veel meer bloed nodig. Misschien als ze haar passerpunt gebruikte?

Ze zocht haar passer in haar etui en duwde de punt in de snee. Bijna op hetzelfde ogenblik hoorde ze de ringtone van haar gsm. Ze pakte haar telefoon en duwde op het knopje.

'Ja...' Meer kon ze niet zeggen van de pijn. En toch was die pijn welkom. Ze overstemde die andere pijn. Het liefdesverdriet.

Jammer dat Jelle niet wist hoeveel pijn ze had. Mocht hij het weten, dan zou hij misschien weer aandacht aan haar besteden. Zich zorgen maken. O ja, ze wist best dat dit foute aandacht zou zijn, maar dan nog liever foute aandacht dan geen aandacht.

'Anneleen, voel je je wel goed?' vroeg Mandy. 'Je stem klinkt zo ver weg.'

'Niets aan de hand. Ik heb me alleen maar gesneden. Daarnet. Toen ik een peer wilde schillen. Het prikt nog een beetje.'

'O. Jammer voor je. Eigenlijk wou ik je iets vertellen. En je zult het niet leuk vinden, Anneleen. Maar als beste vriendin vind ik dat ik geen keus heb. Anneleen?'

Anneleen zuchtte. De vernedering begon echt. Hoe zou ze ooit weer naar school kunnen?

'Ja?' Met de rug van haar hand veegde ze aan haar ogen. Toen bestudeerde ze nog een keer de snee. Hoeveel bloed zou ze daaruit krijgen?

'Daarnet zag ik Fran. Ze was iets aan het rondbazuinen. Vreselijk vind ik het.'

'Lief dat je me wilt inlichten, Mandy, maar Jelle is hier geweest om te vertellen dat Fran zijn nieuwe tegenspeelster is. Ik kan me dus voorstellen dat Fran ook heel wat te vertellen heeft.'

'En of. Als we haar moeten geloven zijn Jelle en zij heel erg verliefd op elkaar. Veel verliefder dan Romeo en Julia zelf. Ze willen...'

Anneleen sloeg met haar vlakke hand op tafel.

'Anneleen?'

'Au! Shit! Sorry, Mandy. Ik kan nu niet praten.'

'Anneleen? Anneleen? Wat gebeurt er?' riep Mandy ongerust.

Anneleen duwde op het knopje en gooide de gsm op haar bed. Een mes! Ze had een mes nodig.

# Vijftien

Anneleen sloop naar beneden. Ze hoorde mama met papa in de woonkamer praten. Even bleef ze aan de deur luisteren en ging toen zo stil mogelijk de keuken binnen. Uit een lade haalde ze een gekarteld mes. Een poosje staarde ze voor zich uit. Met de toppen van haar vingers streelde ze de scherpe kartels van het mes. Vaag hoorde ze de telefoon. En in gedachten ook de stem van Jelle. "Jaloerse trut. Je kunt niet eens je teksten onthouden. Fran is in alles goed."

Vastberaden sneed ze in de wond. Ze hapte naar adem. De keuken tolde. Het mes viel neer. Ze greep de rand van het aanrecht vast. Toen ging de keukendeur open.

'O, Anneleentje, hier ben je. Ik dacht dat je op je kamer zat. Mandy wil met je praten. Ze heeft al naar je gsm gebeld, maar je nam niet op', zei mama die de telefoon toestak.

Heel langzaam draaide Anneleen zich om. Ze hield haar hand met de wond op haar rug.

'Wat scheelt er? Je ziet lijkbleek. Ga vlug zitten', zei mama. Geschrokken duwde ze Anneleen op een stoel. 'Je bloeddruk waarschijnlijk. De dokter heeft gezegd dat dit kon gebeuren. Maak je geen zorgen. Ik bel hem.'

De misselijkheid ebde weg.

'Nee, niet nodig. Het gaat alweer beter.' Anneleen ademde diep in en uit. Ze verborg de gewonde vinger in haar handpalm. Shit. Hopelijk merkte mama dat mes niet op.

'Mandy, sorry. Anneleen is misselijk geworden. Het lijkt wel al wat beter te gaan, maar ze kan nu niet met je praten.'

Mama luisterde even. 'Ja, ik zal het haar zeggen. Dag Mandy.'
Mama legde de telefoon op tafel. 'Mandy wenst je beterschap.'
Anneleen knikte.
'Ik voel me weer helemaal goed. Even een beetje water in mijn gezicht gooien en ik kan weer naar mijn kamer.'
Ze stond op. Het water uit de kraan was zalig koel. Stiekem hield ze ook het mes een poosje in de waterstraal. Ze droogde het af en legde het in de lade terug.
'Weet je zeker dat je geen dokter nodig hebt?' drong haar moeder aan.
'Ja hoor. Ik ga slapen. Tot morgen?'
'Ja, slaap lekker, engeltje.'

# Zestien

De volgende dag liepen Mandy en Anneleen als laatste de klas uit.

Anneleen prutste aan de pleister op haar vinger. De wond prikte. Opeens moest ze denken aan de bloederige pols uit dat televisieprogramma dat ze een tijdje geleden gezien had. Als de snee in haar vinger haar al zoveel last bezorgde, dan moest die pols toch wel heel pijnlijk geweest zijn.

'Ik vind het doodjammer, Anneleen, dat je geen voordrachtpartner meer hebt', zei Mandy.

Anneleen knikte.

'Weinig aan te doen. Ik zal moeten wachten op een volgende gelegenheid.' Ze keek triest.

'Misschien niet, Anneleen.'

Anneleen bleef stilstaan.

'Wat bedoel je?'

Mandy zuchtte.

'Ik vind het moeilijk om het uit te leggen. Misschien vind je me opdringerig. Of het is een belachelijk idee, maar...'

Anneleen legde haar hand op de arm van Mandy.

'Ik snap je niet, Mandy. En ik vind jou nooit opdringerig.'

Mandy beet even op haar onderlip.

'Als jij me helpt, wil ik wel Othello spelen.'

Anneleen ademde hoorbaar uit.

'Nee, laat maar. Ik wist dat het een belachelijk idee was', zei Mandy terwijl ze verder liep.

'Mandy! Nee, wacht.' Anneleen liet Mandy weer stilstaan.

'Het is helemaal niet belachelijk. Integendeel, ik vind het ontzettend lief van je. Ik vraag me alleen af of je daar tijd voor hebt. Wervelino heeft heel veel aandacht nodig. Je kunt nu al zo weinig met hem rijden. En je helpt ook nog op de manege. Denk je dat...'

'Het lukt wel, als je het niet erg vindt dat jouw Othello voortaan een meisjesstem heeft. Misschien kost je dat wel punten bij de beoordeling.'

Anneleen schudde haar hoofd.

'Kan me niet schelen. Trouwens, er wordt ook naar de originaliteit gekeken. O, wat een schitterend idee! Het zou heel leuk kunnen worden. Grappig zelfs. Waarom doe je dat, Mandy? Ik weet dat je er een hekel aan hebt om in de belangstelling te staan.'

Mandy trok haar schouders op.

'Heb ik ook, maar ik vind het zo erg dat iemand die zoveel talent heeft als jij geen kans zou krijgen.'

Anneleen glimlachte. Lieve Mandy. Voor haar zou het zeker een grote opoffering betekenen. Mocht ze dat wel van haar beste vriendin vragen?

'Anneleen, we doen het hoor!'

Kon Mandy gedachten lezen? Anneleen knikte.

'Oké dan. Laten we het proberen. Je kunt het nog altijd zeggen mocht het voor jou te zwaar worden. Of als het niet meer leuk zou zijn.'

'Je moet me alleen twee dingen beloven, Anneleen', zei Mandy.

'Een, je doet er alles aan om te winnen.'

Even trok Anneleen haar wenkbrauwen op.

'Winnen is onmogelijk, maar we zullen ons best doen. En wie weet?'

Mandy knikte.

'Twee, je zorgt ervoor dat de dialogen eenvoudig zijn. En zo weinig mogelijk over die Rodrigo en die Jago. Voor mij is dat te moeilijk.'

Anneleen knikte.

'Geen probleem. Ik vond die scène toch al niet zo goed. Misschien kunnen we de zakdoekscène brengen? Ik bewerk de tekst en dan zien we hoe ver we komen. Bedankt, Mandy. Je bent super.'

'Weet ik. Kom, we moeten weg', zei Mandy. 'Je moet nodig aan het werk, want ik wil zo vlug mogelijk beginnen met repeteren. O jeetje, waarom heb ik beloofd om toneel te spelen? Zoveel werk!' lachte ze terwijl ze zichzelf een tik op haar hoofd gaf. 'Zeg, had Othello misschien ook een paard?'

De vrolijkheid sloeg over op Anneleen.

'Ja hoor! Wervelino was zijn naam.'

Weer een lachsalvo. Toen kwamen ze op straat en bevroor de lach van Anneleen op haar gezicht. Aan de overkant stonden Jelle en Fran elkaar wild en hartstochtelijk te kussen. Anneleen sloot een ogenblik lang haar ogen en probeerde het trillen van haar lippen te stoppen. Er kwam een flinke hoofdpijn opzetten.

'Kom mee, Anneleen', zei Mandy die natuurlijk gemerkt had hoeveel pijn ze had. 'De auto van je moeder staat verderop geparkeerd.'

Toen Anneleen thuiskwam, liep ze meteen door naar de keuken. Ze haalde een glas uit de kast en schonk vruchtensap in. Toen pakte ze het mes met de scherpe kartels uit de lade en liet het in haar schooltas glijden. Net op tijd, want mama kwam in de keuken.

'Ik ga naar mijn kamer, mam', zei Anneleen. Ze hing haar rugzak over één schouder en nam het glas mee.

'Goed hoor. Tot straks', zei haar moeder.

In haar kamer leunde Anneleen tegen de muur naast de deur. Zo ellendig had ze zich nog nooit gevoeld. Ze probeerde haar keel vrij te slikken. Nu wist ze zeker dat ze iets voor Jelle voelde.

Hij had haar nooit op die manier gekust. Erger nog, hij had haar nog nooit gekust. Hoe had hij het ook alweer gezegd? *Fran is in alles goed.* Blijkbaar wel, zeker in kussen, maar moest hij dat dan ook zo tonen? En dat terwijl hij haar, Anneleen, nooit een kans gegeven had. Ze had hem zelfs geen verjaardagskus mogen geven. En misschien kuste ze zelfs beter dan Fran? Even duwde ze haar lippen op de rug van haar hand.

Ze ademde langzaam uit. Waarom deed hij haar zoveel pijn? Zo kon ze niet verder. Wist hij dat dan niet? Er kwamen tranen in haar ogen. Haar neus liep vol. Ze moest ervoor zorgen dat de pijn verdween. En daarvoor was er maar één oplossing.

Ze griste het mes uit haar schooltas, ging op het bed zitten en gaf zichzelf een flinke snee aan de zijkant van haar pols. Meteen bloed? Mooi. Meer bloed moest er zijn! Ze kreunde toen ze zichzelf nog een snee gaf. Toen ging ze liggen en wachtte tot de pijn wegebde. Ze keek naar het bloed. Met haar pink smeerde ze het uit.

En nu? Ze zou die snee moeten verbergen. Haastig trok ze een lade open en viste er de armband uit die ze van Mandy gekregen had. Hij was lekker breed en kon veel verbergen…

Anneleen glimlachte.

# Zeventien

'Cool dat je mijn armband draagt', zei Mandy de volgende dag op school.

Anneleen werd een tint bleker.

'Natuurlijk draag ik hem. Ik vind hem mooi', zei Anneleen. Ze keek weg.

'Hij past echt goed bij je. Heb je gisteren nog aan die tekst gewerkt?' Ze legde haar hand op de arm van Anneleen.

'Ja hoor. Vanavond kunnen we repeteren. Schikt dat?'

'Zo gauw al? Ik dacht dat je nog minstens een week nodig zou hebben om die tekst te schrijven. Natuurlijk kan ik komen.'

Anneleen schudde haar hoofd.

'De tekst is niet af. Laten we het stuk dat ik heb gewoon uitproberen. Moet je na school eerst naar de manege?'

'Ja, maar dat zal niet lang duren. Kijk wie we daar hebben.'

Vic kwam aangewandeld.

'Hé, Anneleen', begon hij terwijl hij bij hen kwam staan. 'Ik wou je nog vertellen dat ik het zo erg voor je vind dat Jelle niet meer met jou deelneemt aan die wedstrijd. Jullie waren een heel sterk team.'

'Bedankt, Vic. Ik vind het heel prettig om te horen. Jelle is inderdaad een sterke kandidaat', glimlachte Anneleen.

'Dat ben jij ook. Iedereen die jou kent van de Academie zegt dat trouwens. Wat ga je doen? Heb je intussen al iemand anders?' vroeg hij.

'Ja!' Toen kwam er een grappig idee in haar op. Voorlopig mocht niemand weten wie Othello was.

Ze zou niet alleen tijdens de voorstelling een intrigerend spel spelen, maar ook wekenlang vooraf zou ze ontzettend geheimzinnig doen. Misschien zou Jelle dan bang worden.

Anneleen beet op haar onderlip. 'Ook een heel sterke kandidaat!'

Met haar ogen dwong ze Mandy te zwijgen.

'Wie is het?'

Anneleen glimlachte raadselachtig. Mandy draaide zich om en had alle moeite om het niet uit te proesten.

'Dat vertel ik je lekker niet. Dat is een verrassing.'

'O. Wel, als je me nodig hebt om te repeteren met de juiste belichting, dan hoef je maar een ceintje te geven. Gisteren heb ik gerepeteerd met Fran en Jelle. Het ging er nogal heet aan toe. Als dat toneelspel is...'

Anneleen werd lijkbleek.

'Ik moet nog naar het toilet voor de lessen beginnen. Ik zie jullie wel in klas', zei ze haastig en liep weg.

'Hé Anneleen', riep Mandy haar na. 'Geef je rugzak maar aan mij. Ik zal hem naar het klaslokaal dragen.'

Anneleen schudde haar hoofd.

'Hoeft niet', zei ze en liep door.

In het toilethokje haalde ze het mes uit haar rugzak. Ze schoof de armband weg en drukte de kartels van het mes tegen haar pols. Met gesloten ogen leunde ze tegen de deur. O God, ze mocht niet flauwvallen.

# Achttien

'Moet je nog terug naar de manege?' vroeg Anneleen die avond aan Mandy. Ze stonden in de kamer van Anneleen, klaar om te repeteren. Mandy droeg een oude spijkerbroek en hoge laarzen. In haar hand had ze een rijzweepje.

'Nee. Waarom?'

'Omdat je je rijkleren nog draagt.'

'Dat is een poging om er zo mannelijk mogelijk uit te zien. En Othello had toch een paard?'

Anneleen lachte.

'Waarschijnlijk wel, maar dat weet ik niet zeker. Ongetwijfeld zag hij er niet zo meisjesachtig uit als jij met je lange haren. En hij had wel een zwarte huidskleur.'

Anneleen pakte een stapel papier van haar bureau.

'Oké dan. Heb je zwarte schoensmeer?' Mandy ging op een stoel zitten met haar benen zo wijd mogelijk open.

'Ja, kunnen we gebruiken tijdens de voorstelling. O, Mandy! Je benen! Zo onvrouwelijk.'

'Mijn vader zit altijd zo. Ik moet een man nadoen, Anneleen. Heb jij misschien nog ideeën?'

Ze lachten.

'Pak aan. We beginnen', zei Anneleen terwijl ze een tekst aan Mandy gaf.

*Lieve schat*, zei Mandy. *Herinner je je nog mijn eerste geschenk. Die zakdoek die ik ooit aan jou gegeven heb.*

Anneleen haalde een hand door haar haren.

'Eh, Mandy. Je moet het op een vragende toon zeggen. Niet gewoon oplezen.'
'O. Sorry.' Mandy stelde de vraag nog eens.
'*Natuurlijk, mijn liefste. Hij zit in mijn kist*', antwoordde Anneleen.
'Anneleen, is dat niet vreemd? Welke kist? Een sigarenkist of zo?' vroeg Mandy.
'Maar nee, slimpie. Desdemona bewaarde haar kleren in een grote kist.'
'O ja. *Laat mij die zakdoek zien, Desdemona. Ik wil zien of je hem nog hebt.*'
Anneleen ging naar haar bureau en rommelde in de lade.
'Hé? Wat doe je?' vroeg Mandy.
'Ik zoek de zakdoek. Dat staat toch op het blad dat ik dat moet doen.'
'O ja. Had ik niet gezien. En trouwens dat is geen kist, dat is een bureau.'
Anneleen draaide zich om.
'We doen alsof, Mandy. We spelen toneel. Je moet je een beetje inleven in de situatie. Je moet elke zin zo overtuigend mogelijk zeggen.'
'Dat weet ik wel. Laten we verder gaan.'
'*Ik vind de zakdoek niet. Ik denk dat de wasvrouw hem meegenomen heeft.*' Anneleen legde haar hand op haar borst en probeerde heel bang te kijken.
'*Niets van! Jago vertelde me dat hij Cassio in zijn slaap heeft horen praten over jou. En Jago heeft gezien dat Cassio zijn mond schoonveegde met een zakdoek die heel erg goed op die van jou lijkt*', las Mandy hardop.
'*Belachelijk! Niet, beste mensen?*' Anneleen draaide zich om en praatte tegen een denkbeeldig publiek. '*Kunnen jullie van elke persoon die jullie ontmoet hebben de volgende dag nog beschrijven welke zakdoek hij gebruikt heeft?*'

Mandy sprong op.

'Toe nou, Anneleen. Waarom praat jij tegen de muur?' vroeg ze.

'Ik praat niet tegen de muur. Ik praat tegen mijn publiek. Dat hoort zo. De mensen hebben dat graag.'

'Publiek? Waar is dat publiek? Ik zie niemand.' Woorden als een echo. 'Hé? Waarom lach je?'

'Omdat ik ook altijd tegen Jelle zei dat ik geen publiek kon zien.' Met haar vinger wreef Anneleen over haar neus. O Jelle, wat zou ik deze scène graag met jou gerepeteerd hebben.

'Anneleen, als ik mijn mening mag geven, ik vind die scène met die zakdoek toch maar niets', zei Mandy.

'Die scène moet, Mandy. Voor Othello is het een bewijs van ontrouw als Desdemona die zakdoek niet kan laten zien. Hij is wanhopig, ontzettend jaloers. Hij gaat zelfs helemaal door het lint. Zo komt het dat hij Cassio laat doden.'

Mandy knikte.

'Misschien kun je de tekst eerst helemaal doornemen', stelde Anneleen voor.

'Goed idee. Kunnen we een pauze inlassen?' lachte Mandy.

'Nu al?' vroeg Anneleen verontwaardigd.

'Ja. Of nee, ik heb een beter idee. Laten we de repetitie uitstellen tot morgen. Dan zullen we keihard repeteren', beloofde Mandy.

Toen Mandy vertrokken was keek Anneleen toevallig door haar slaapkamerraam.

'O shit! Nee!' kreunde ze.

Aan de overkant van de straat liepen Jelle en Fran. Af en toe bleven ze staan om elkaar een zoen te geven.

Anneleen zuchtte diep.

'O', kreunde ze. Die vreselijke pijn moest ophouden. Ophouden! Weg!

Wanhopig graaide ze het mes uit haar schooltas. Het kon niet vlug genoeg gaan. Ze ging op haar bed zitten en trok de pleister van haar vinger.

De wond mocht niet dicht. O nee. Ze moest hem openhouden. De pijn aan haar vinger en onder haar armband moest blijven. Haastig schoof ze de armband weg.

'Ik hou van je, Othello. God is mijn getuige dat ik echt van je hou.'

Met gesloten ogen sneed ze opnieuw in de wonden. Heel langzaam ademde ze uit. Het zweet brak haar uit. De dingen rondom haar vervaagden. Alles werd zwart.

Een poosje later kwam ze bij. Ze keek naar haar hand en haar pols. Shit. Blijkbaar had ze veel gebloed. Het was niet de bedoeling dat ze dood zou gaan. Nee, helemaal niet. Ze wilde alleen maar Jelle terug. Maar hoe? Als hij zou weten hoeveel ze onder de situatie leed, zou hij dan van mening veranderen? Of als hij haar pols zou zien? Hij leek al een beetje op die pols uit het televisieprogramma dat ze gezien had.

O God. Haar sprei! Als mama die bloedvlek zou zien...

Voorzichtig kwam Anneleen overeind. Ze duizelde en beet op haar onderlip.

Uit haar lade haalde ze pleisters en legde ze op de wonden. Toen griste ze de sprei en deponeerde haar onderaan in haar kleerkast.

# Negentien

'Engeltje, waar is je sprei?' vroeg mama de volgende zaterdag aan de ontbijttafel.

Anneleen goot melk over haar cornflakes. Shit. Naast haar armband was er een stuk pleister te zien. Volgende keer moest ze echt beter uitkijken.

'Wel, eh... we hebben de sprei nodig gehad voor de toneel-repetitie op school. Ik moet haar nog terugleggen. Ik weet niet hoe het komt, maar nu zit er een bruine vlek op die sprei. Een kleintje maar hoor.'

Ze durfde haar moeder niet aan te kijken.

'Dat is niet erg. Breng ze maar. Ik zal ze wassen.'

Anneleen knikte terwijl ze in haar cornflakes roerde.

'Leuk dat ik straks weer naar de Academie kan', gooide Anneleen het over een andere boeg.

'En of. Ik zal je brengen. Kun je over een half uur klaar zijn? Ik moet nog naar kantoor', zei papa die op zijn horloge keek. 'Afspraak met een cliënt.'

'Ja, geen probleem', zei Anneleen. Haar lepel tikte tegen haar kopje.

'Komt Mandy vandaag repeteren?' vroeg mama.

'Vanavond pas. Eerst gaat ze naar de manege. En ze heeft gevraagd of ik na de middag ook kom. Ik heb Wervelino lange tijd niet gezien.'

'En? Ga je? Ik wil je dan ook een lift geven hoor', zei papa.

Anneleen schudde haar hoofd.

'Hoeft niet. De manege is niet zo ver. En het is ook nog niet zeker of ik zal gaan. Ik zie nog wel.'
'Tja, waarom zou je niet gaan? De buitenlucht zal je goed doen. En papa en ik zijn de hele middag weg. Je zou toch maar alleen thuis zijn. Je kunt net zo goed bij Mandy zijn', vond mama.

Na de middag wandelde Anneleen richting manege. Naast de weg liep er een kanaal. Tijdens de zomermaanden zag je er dikwijls roeiboten, maar nu lag het er verlaten bij. Net zoals de weg. Het enige wat Anneleen hoorde waren haar eigen voetstappen en het ruisen van de wind in de boomtoppen.
Anneleen dacht aan Mandy en aan de gekke manier waarop ze Othello wilde spelen. Mandy had voorgesteld om Wervelino in het stuk te betrekken. Maar met een echt paard werken was toch niet realistisch? Zag je hem al staan in het auditorium? Bovendien weken ze dan ook te veel van het oorspronkelijke verhaal af. Maar volgens Mandy was dat net leuk en origineel.
'Hé, Desdemona?' Anneleen draaide zich om. Fran stopte met haar fiets.
'Ik vind het zo sneu voor je dat je geen Othello meer hebt', zei Fran met een gemene grijns. 'Weet je dat Jelle echt een schitterende Romeo is? En als hij zoent is het net echt. Ik denk dat hij verliefd op me is. Nee, dat weet ik zeker. Gisteren heb ik een cool geschenk van hem gekregen. Een armband. Kijk maar.' Ze stak haar arm uit. 'Mooier dan wat jij draagt, niet? Nu moet ik er weer vandoor. Dag!' Lachend fietste Fran weg.
Anneleen was de hele tijd als een standbeeld blijven staan. Waarom kwam Fran treiteren? Waarom wilde Fran zo diep in de wond kerven? Bij manier van spreken dan. Anneleen snikte eerst en toen kwam er uit haar keel een rauw geluid.
De wond diep van binnen brandde. Anneleen kon nauwelijks nog ademhalen.

Ze kreeg een zwaar gevoel aan haar maag en slikte om het onprettige gevoel weg te krijgen.

Toen haalde ze haar gsm uit haar zak. Aarzelend vormde ze een bericht voor Jelle.

*'Ik wil met je praten.'*

Even keek ze op haar horloge en typte dan verder.

*'Ik wacht tot 14u bij het kanaal. Kom je?'*

Hij kreeg een half uur, dus dat moest lukken. Ze beet op haar onderlip en voegde er nog een zin aan toe.

*'Weet je wel hoeveel pijn ik heb?'*

Met een zucht ging ze op een bankje aan het water zitten en koos voor "verzenden". Ze legde de gsm naast zich. Toen keek ze naar de rimpels in het water. Er dreef zwerfvuil, maar het was moeilijk te zeggen wat het precies was.

Wat zou er gebeuren mocht ze nu eens heel diep in haar polsen snijden? Of gewoon kerven in de slagader? Hoe lang zou het duren voor ze van haar stokje ging? Anneleen schudde haar hoofd. Nee, dat was meer voor in een horrorfilm. Niet echt haar ding.

Natuurlijk kon ze er ook voor kiezen om grote keien in haar zakken te steken en zich diep in het water te laten zinken. Hoe diep was het hier? En zou ze de reflex om te zwemmen kunnen bedwingen?

Nee, sterven was niet wat ze wilde. Ze wilde ook niet dat haar ouders verdriet om haar hadden. Of Mandy. Lieve Mandy. En Jelle, zou hij verdriet hebben mocht er iets met haar gebeuren? Anneleen keek alweer op haar horloge. Te vroeg. Hij kon hier nog niet zijn. Of toch?

Ze schrok op van het gerinkel van een fietsbel.

'Hé? Ben je hier nog? Wat doe je hier?' vroeg Fran.

Anneleen sloot haar ogen. Moest ze nog eens zo'n confrontatie ondergaan?

'Ben je aan het overwegen of je in het water zult springen of zo?' spotte Fran.

'Ga weg', zuchtte Anneleen. Ze keek de andere kant op.

'Weg? Ik ben er nog maar net. Heb je een probleem, Desdemona? Liefdesverdriet misschien? Heeft Othello je in de steek gelaten? Vervangen door iemand als ik? De sensuele Julia?' Fran trok haar schouders achteruit en duwde haar borsten naar voor.

'Ik wil dat je weggaat, Fran. Ik wil je nooit meer zien', snauwde Anneleen. Ze voelde de spieren in haar maag verkrampen.

'Ho maar, dat zal niet lukken. Tenzij je zelfmoord pleegt of zo. Ik hoor het nog wel. Tot ziens dan? See you in heaven!' Fran lachte gemeen en reed weg.

'Bitch', riep Anneleen haar achterna.

Shit. Nu zou ze uitgelachen worden. Fran zou zeker overal vertellen wie ze hier op die bank had zien zitten treuren. Ze kon maar beter naar huis gaan. En Jelle kon de pot op!

# Twintig

Twee uur later lag Anneleen nog altijd op haar bed. Ze had liggen dagdromen, ook een poosje geslapen en vooral stil gehuild. Hoe had ze zich in godsnaam zo in Jelle kunnen vergissen? Waarschijnlijk zou ze eerst tien jaar dood moeten zijn voor hij zich realiseerde dat ze er niet meer was.

Opeens werd er verschillende keren aan de voordeur gebeld. Geschrokken stond Anneleen op en ging zo vlug als ze kon naar beneden.

'Hé! Zeg! Je hoeft niet zo op de deur te bonken. Wat is er aan de hand?'

Anneleen maakte de deur open.

'Jij?'

'Ja, ik. En ik heb weinig tijd, Anneleen!' riep Jelle geërgerd. 'Je laat me naar het kanaal komen en dan ben je er niet. By the way, je hebt daar je gsm laten liggen op een bank. Hier, pak aan dat ding!'

Hij duwde de gsm in haar handen en sloot de deur.

'Maar...' begon ze met een fijne stem.

'Wat scheelt er? Ik heb drie keer naar jullie vaste telefoon gebeld, maar er nam niemand op.'

'Mijn ouders zijn er niet. En ik heb geslapen.'

Ze ging naar de woonkamer en liet zich neervallen op de bank. Hij bleef voor haar staan met zijn vuisten in zijn zakken.

'En ik die dacht dat je ergens lag om te komen van de pijn. Ik was heel erg ongerust na je sms. Allemaal voor niks blijkbaar. Waarover wil je praten?'

Over het liefdesverdriet, maar dat durfde ze niet te vertellen.

'Over de voordrachtwedstrijd', zei ze en maakte een gebaar met haar arm.

'Wat is daarmee? Hé? Heb je iets aan je pols? Is het je pols die zoveel pijn doet?'

'Nee!'

Er zat een rode vlek naast de pleister. Anneleen verborg haar arm achter haar rug.

'Toch wel. Ik zag iets. Laat eens zien!' Hij probeerde haar arm vast te pakken, maar ze verzette zich.

'Raak me niet aan!'

'Ho maar!' Hij stak zijn handen in de lucht. 'Ik doe je niets. Je hoeft niet zo naar me te snauwen.'

'Overdrijf niet. Dat doe ik toch niet.'

'Goed dan. Vertel me wat er met je pols scheelt.'

Anneleen haalde haar schouders op.

'Ik heb me gesneden toen ik een peer wilde schillen.'

'In je pols?'

'Ja, in mijn pols.'

'O. Dat is pech hebben. Wel, ik heb het druk. Ik moet repeteren en zo. Vertel je nu eindelijk waarom je me wilde zien?'

'Moet ik je dat nog uitleggen? Je hebt me toch maar mooi in de steek gelaten voor de wedstrijd. Ik had nooit verwacht dat je dat zou doen. We kennen elkaar al jaren, waren de dikste vrienden en nu? Je hebt me doodongelukkig gemaakt', schreeuwde ze.

'Wat? Ik? Je maakt jezelf ongelukkig. Je bent jaloers omdat ik met Fran aan die wedstrijd deelneem.'

Ze snoof.

'O, hou op. Hoe zou jij nu kunnen weten of ik jaloers ben of niet? Misschien ben je het zelf wel. Omdat ik grote kans maak om de wedstrijd te winnen.'

Hij lachte, maar het klonk gemaakt.

'Ho! Laat me niet lachen. Jij wilt die wedstrijd winnen? Nu ben ik er zeker van dat je ziek bent. Sorry, maar je kunt niet eens je teksten onthouden. Dat heb ik je al wel meer gezegd. En je hebt geen uitstraling.'

Ze veerde overeind.

'Wat? Heb ik geen uitstraling? Je zou je wel eens grondig kunnen vergissen.' Ze voelde de haat door haar bloed ruisen en kneep haar ogen half dicht. 'Denk je nu echt dat jij zo'n goede Romeo bent? En dat Fran zo'n goede Julia is? Zij is vast van plan om zich sexy aan te kleden en haar lichaam te showen. Dat is niet voldoende, Jelle! Uitstraling zit van binnen. Maak haar dat maar goed duidelijk. En over jouw uitstraling en de manier waarop je bij mensen overkomt, zal ik het maar niet hebben.'

'O nee? Omdat je niets weet te vertellen! Waar haal je al jouw wijsheid vandaan als ik vragen mag? Vrouwenblaadjes gelezen misschien?'

Grijnzend ging Anneleen weer zitten.

'Nee. Van een lerares van de Academie voor Muziek en Woord. Knappe dame trouwens. Ze heeft me pakken tips gegeven om goed te spelen én om voldoende uitstraling te hebben. Ik weet zeker dat ik het uitstekend zal doen tijdens de wedstrijd. Ze zal me ook komen opmaken en kappen en ervoor zorgen dat ik de juiste kledij draag. En heel belangrijk, ze coacht mij. Dus dat zit allemaal heel goed.'

Jelle werd bleek en verdween. De voordeur sloeg dicht.

'O Jelle, ik heb nog niet de helft gemeend van wat ik gezegd heb', kreunde Anneleen.

Toen haalde ze het mes tevoorschijn...

# Eenentwintig

'Hoelang moet je zoeken naar die zakdoek voor ik naar binnen mag?' vroeg Mandy die in de gang voor de slaapkamerdeur van Anneleen stond. Ze waren net met de repetitie begonnen.

Anneleen zuchtte.

'Tel tot tien en kom dan binnen, Mandy. Trouwens in de tekst staat er dat Desdemona korte tijd naar die zakdoek zoekt. Daarna moet Othello opkomen. Jij bepaalt voor een stuk hoe lang dat is. Oké?'

'Oké. Een, twee...'

Anneleen keek geërgerd.

'Mandy, je mag niet hardop tellen. Ik kan me niet concentreren.'

'Nu al niet? Wat zal dat worden als ik je straks zoen. Wauw! Zeg, ik wil niet dat Fran achteraf denkt dat we lesbisch zijn.'

Anneleen schudde haar hoofd en trok de lade van haar bureau open. Ze hield zich klaar om daarin de zakdoek te zoeken.

'Dat zal ze niet denken. Toneel is iets anders dan het echte leven. Kunnen we beginnen?'

'Ja. Prima. O, Anneleen, ik moet nog iets vragen.' Mandy kwam de kamer binnen.

'Shit, Mandy. Je mag nu nog niet naar binnen.'

Mandy ging in de deuropening staan.

'Dat weet ik wel, maar het is heel belangrijk. Aan welke kant zit het publiek?'

Even keek Anneleen rond.

'Daar', wees ze naar het bed. 'En nu beginnen we. Hé? Wat is er nu alweer?'

'Wat zit er onder je armband?' vroeg Mandy.
'Een pleister. Ik heb een kleine snee. Niets aan de hand. Ga maar weer in de gang staan', zei Anneleen geschrokken.
'Laat eens zien', drong Mandy aan.
'Waarom? Kom, we gaan verder. Vergeet niet dat we woensdag repetitie in het auditorium hebben. We moeten tegen die tijd toch een stukje kunnen opvoeren. Wat zal Vic anders zeggen? O, tussen haakjes, Vic heeft beloofd aan niemand te verklappen met wie ik repeteer. Hij gelooft nog altijd dat ik op de dag van de voorstelling met een acteur van het conservatorium zal optreden. En dat ik met jou repeteer omdat die acteur heel weinig vrij is. Cool, niet?'
Mandy deed alsof ze de laatste opmerking niet gehoord had.
'Jelle had het over je pols. Hij zei dat je heel veel pijn had doordat je je gesneden had, maar ik kon eerst niets aan je merken. Dus kon ik nauwelijks geloven dat ...'
'Hou op, Mandy. Je weet hoe Jelle kan overdrijven.' De stem van Anneleen klonk geïrriteerd.
Er viel een pijnlijke stilte.
'Geloof je me niet? Ik heb een kleine snee. Dat klopt.' Anneleen wees naar haar pols. 'Van toen ik een peer wilde schillen. Dat is echt niet gemakkelijk met een gips hoor. Ik weet niet waarom je zo'n drukte over een klein sneetje maakt. Toe nou, laten we repeteren.'
Anneleen zuchtte diep.
'Maar Jelle vertelde dat...'
'Wat hij vertelde, interesseert me geen sikkepit. Hij wil zich alleen maar interessant maken. Die jongen heeft te veel verbeelding. Toe nou, Mandy. Weg. Naar de gang.'
Anneleen wuifde met haar hand. Shit. Ze zou echt beter moeten uitkijken.

# Tweeëntwintig

De volgende woensdag waren Anneleen en Mandy te vroeg in het auditorium. Via de zijingang waren ze naar binnen gegaan. Ze stonden verborgen in de coulissen en luisterden naar Jelle en Fran die aan het repeteren waren.

'Ik weet niet of ik het hier uithoud', fluisterde Mandy.

'Doe niet zo gek', antwoordde Anneleen die met haar hoofd schudde.

'Maar het is zo. Ik val om van de zenuwen.'

Het was aan haar te merken. Ze beefde en ze kreeg opeens tranen in haar ogen.

'Het lukt wel', moedigde Anneleen haar aan. 'En ook, het is maar een repetitie.' Ze moest in ieder geval vandaag een goede indruk maken op Jelle.

'We vallen zo door de mand. Trouwens, wat ga je doen op de dag van de voorstelling als er geen echte acteur van het conservatorium komt opdagen?'

'Dat zie ik dan wel. Daar maken we ons nu nog geen zorgen over.'

'We zullen vreselijk uitgelachen worden.'

Anneleen keek naar Mandy.

'Ja en dan? Mij kan het niet schelen. En jou ook niet heb je al zo dikwijls gezegd. Als we Jelle nu de stuipen op het lijf kunnen jagen is de opzet geslaagd. En trouwens, stel dat we wel winnen?'

'Juist', knikte Mandy. 'Positief denken.'

'Er wordt ook rekening gehouden met moed en originaliteit weet je. Het is een wedstrijd voor amateurs, niet voor professionals. Ik bedoel niet alleen voor mensen die naar het conservatorium willen. Anders moesten ze de wedstrijd niet eens laten doorgaan.'
'Je hebt gelijk', knikte Mandy. 'En we zullen origineel zijn. Als ik maar die zenuwen de baas kan blijven...'
'Luister. Er is nog iemand die problemen heeft met zijn zenuwen!' lachte Anneleen zo stil mogelijk. Haar hoofd schudde.
'O Julia, ik ... ik... ben waanzinnig verliefd op je. Zo verliefd dat ik... eh... m... m... meteen zelfmoord zou plegen als... als... als ik zou weten dat je gestorven... dood was', zei Jelle die op het toneel stond.
'Jelle! Opnieuw! Je kijkt niet eens verliefd. En je stottert! Concentreer je!' viel Fran uit.
Anneleen en Mandy glimlachten naar elkaar.
Hij probeerde het nog eens.
'Stop!' klonk de stem van Fran. 'Jelle, wat scheelt er? Als je het er maar zo vanaf brengt kunnen we nooit winnen.'
'Dat weet ik, maar ik voel me vandaag niet lekker. Ik heb last van de zenuwen.'
Anneleen hapte naar adem.
'Wat voor een onzin is dat nu? Een goede acteur moet zich in alle omstandigheden kunnen concentreren. Welke jongen was dat ook alweer die vertelde dat hij naar het conservatorium zou gaan? Hij zal wel meer talent moeten hebben!' sneerde Fran.
Mandy barstte in lachen uit en Anneleen leek wel aan de grond vastgenageld. Vijf tellen later schoof Jelle het gordijn opzij.
'Wat doen jullie hier?' Hij sloeg zijn vuist in de palm van zijn andere hand. 'Kunnen jullie niet in de zaal zitten om de repetitie bij te wonen?'
'Nee. We wachten hier onze beurt af', zei Anneleen. 'Ga maar verder.'
'Kijk eens aan. Is je Othello er nog niet?' grijnsde hij.

Anneleen haalde haar schouders op.

'Of dacht je misschien dat ik ook nog Othello zou doen? Vergeet dat maar.' Hij had iets agressiefs in zijn stem.

'Goed, ik zal het vergeten', antwoordde Anneleen heel rustig en glimlachte breed. Van Mandy kreeg ze een knipoogje.

Jelle draaide zich en ging weer in het midden op het podium staan. Het gordijn bleef open.

'O Julia, ik ben in staat om een moord te plegen alleen maar om bij jou te zijn', zei hij.

'Verdomme, Jelle!' gilde Fran. 'Je kent je tekst niet eens!'

Mandy gierde en Anneleen glimlachte. Jelle vluchtte weg. Ze hoorden de deur van het auditorium hard dichtslaan. Fran liep hem achterna.

# Drieëntwintig

De volgende avond repeteerden Mandy en Anneleen weer bij Anneleen thuis.

'Deze tekst bevalt me beter, Anneleen', zei Mandy.

'Je hebt gelijk. Omdat we nu niet meer die hoogdravende taal van Shakespeare willen nadoen', knikte Anneleen.

*'Waar is de zakdoek die ik aan jou gegeven heh, Desdemona?'* vroeg Mandy.

*'Ik weet het echt, echt niet, Othello.'* Anneleen maakte een gebaar met haar armen en schudde haar hoofd. *'Gisteren had ik hem nog. Ik heb hem nog vastgepakt om hem te bekijken, maar nu?'*

'Nou, nou, nou', klonk opeens de stem van Jelle. Hij stond in de deuropening. 'Is Mandy de onbekende Othello? Denk jij echt dat je die wedstrijd met Mandy zult winnen? O, wat een grap!' Hij lachte gemeen.

Anneleen werd bleek.

'Hoe ben jij hier binnen gekomen?' vroeg ze.

'Je moeder heeft me binnen gelaten. Ik heb gevraagd of ik met je mocht praten. Toen mocht ik doorlopen, zoals altijd. Maar ik verdwijn alweer. Ik heb genoeg gezien. Jullie zijn niet echt waardige tegenstanders.' Hij draaide zich om en wilde vertrekken. 'Dat is de grap van het jaar! Als ik dat aan Fran vertel!'

'Hé, wacht!' riep Mandy uit. 'Je snapt misschien toch wel dat ik tijdens de repetities alleen een invaller ben? Op de dag van de voorstelling komt er een acteur van het conservatorium om Othello te spelen', zei Mandy.

Wauw! Zijn gezicht! O, dat was genieten!

'Wat?' Hij kwam weer in de kamer. Zijn mond bleef openstaan.
'Is dat waar, Anneleen?'
'Yip', knikte ze.
'Wie is het?' vroeg hij.
'Dat verklap ik niet', zei Anneleen met fonkelende ogen.
'En daar heeft ze een heel goede reden voor', pikte Mandy in.
'Hij is heel erg knap. Een droom van een jongen. Heel lief ook.
Heeft heel veel uitstraling. Binnenkort acteert hij trouwens in
de nieuwste film van Stijn Coninx. Je weet ook dat die film-
maker niet de eerste de beste acteurs neemt. Coninx is zelfs in
het buitenland bekend.'
Jelle leek als aan de grond genageld. Anneleen beet op haar
onderlip. Ze mocht het nu niet verknallen door in lachen uit te
barsten.
'Bij Stijn Coninx? Hoe heb je die acteur leren kennen?' vroeg
Jelle.
'Nou... eh... via een zakenrelatie van papa', antwoordde
Anneleen. 'Zoals je weet moet papa vaak op reis voor het
architectenkantoor waar hij werkt. Zo leert hij ook veel mensen
kennen. Hij heeft Stijn Coninx al verschillende keren ontmoet.'
Anneleen en Jelle keken elkaar aan. Shit, niet knipperen met
de ogen. Vooral nu niet.
'Blijkbaar heb ik jullie onderschat', zei hij eindelijk. 'Mij goed.
Dat wordt een echte uitdaging, maar ik zal toch winnen.' De
jaloersheid droop van zijn gezicht. 'En vergeet niet dat je het
op één punt niet haalt, Anneleen. Eén punt dat jij niet kunt
verhelpen.' Hij glimlachte vals en breed. 'Fran is bloedmooi.'
Toen liep hij weg.
'Dat is een steek onder de gordel!' schreeuwde Mandy die hem
achterna liep. 'Uiterlijk heeft niets met talent te maken.
Trouwens die acteur heeft gezegd dat Anneleen er perfect uitziet
om rollen als Desdemona te spelen. En...'
Toen viel de voordeur dicht. Anneleen viel neer op haar bed en
verborg haar gezicht in haar kussen.

Een poosje later kwam Mandy opnieuw binnen.
'Zo. Ik heb hem eens goed de les gelezen. De schoft! Weet je wat ik zal doen? Ik zal hem belachelijk maken. Wacht maar!' zei ze. 'Hé, Anneleen. Trek het je niet zo aan. Toe.'
Anneleen schudde haar hoofd en kwam overeind.
'Ik weet niet of ik hier nog mee kan doorgaan, Mandy. Ik ben niet zo mooi als Fran, heb niet half zoveel talent en er komt geen acteur van bij Stijn Coninx.'
'Geef toe dat het een goede grap is. Hé, verknal het nu niet. We gaan zeker door. Ik wil die schoft een lesje leren. Ik ben een stille vijand. Hij zal ontdekken dat hij mij niet moet onderschatten! Weet je, Anneleen, ook al moet ik mijn rijzweep gebruiken, maar ik mep hem neer. Figuurlijk als het niet letterlijk kan.' Mandy was razend. 'Zo groot zal hij nog zijn. Zo groot!' Met haar duim en wijsvinger gaf ze aan hoe groot dat maar was.
Anneleen glimlachte door haar tranen heen.
'Repeteren we verder?' vroeg Mandy.
'Liever morgen', zei Anneleen.

# Vierentwintig

Fran is bloedmooi, dacht Anneleen toen ze een poosje later weer alleen was. Bloedmooi. Mooi als bloed. Anneleen viste het mes uit haar rugzak en keek naar de scherpe kartels. Bloed. Dit keer doe ik het goed, dacht ze. Sorry, Mandy. Sorry, mama en papa. Sorry, iedereen die het beste met me voorheeft. Maar ik kan het op die manier niet aan.

Met een snik ging Anneleen op haar bed zitten. Ze schoof de armband weg, trok de pleister los en keek naar haar pols. Hij zag er vochtig uit. Hier en daar was er al etter te zien.

Anneleen draaide haar arm en keek naar haar slagader aan de binnenkant van de pols.

Als ze daar heel dichtbij een klein sneetje gaf, zou ze zich beter voelen. Misschien zou die andere pijn, die diep van binnen zat, dan verdwijnen. Ze had geen keus. Iedereen zou snappen dat ze geen keus had. Maar voorlopig mocht niemand het weten.

Heel geconcentreerd duwde ze de kartels van het mes op haar huid. Ze moest zo dicht mogelijk bij die grote blauwe ader snijden. Het was millimeterwerk. Als ze dat zou kunnen, dan bewees ze dat ze veel handiger was dan Jelle. En dan Fran, want zij zou zoiets nooit durven.

Toen hoorde ze haar moeder roepen. O nee! Mama had haar laten schrikken en daardoor had ze te diep gesneden. En dat bloed opeens! Hoe moest ze dat laten ophouden? Ze duwde haar arm tegen haar buik en werd misselijk. Alles werd wazig.

'Ik vroeg me af of je niet liever een andere sprei hebt voor het toneel', zei mama terwijl ze de kamer van Anneleen in kwam.

'O God, wat gebeurt hier?'
Toen werd alles zwart.

'Anneleen?' hoorde ze een mannenstem die ze niet kende. 'Ze komt bij, mevrouw.'
'Goddank', zei mama. 'Anneleentje toch', fluisterde ze.
'Rustig maar, mevrouw', zei de stem. 'Anneleen, kijk eens naar me. Ik ben dokter Devlieger. Je bent in het ziekenhuis.'
Anneleen deed haar ogen open en keek in een rond gezicht met opvallende blauwe ogen.
'Zo Anneleen. Blij dat je wakker bent. Heb je pijn?' vroeg de arts.
Anneleen schudde haar hoofd. Geen pijn, maar wel iets dat vervelend prikte aan haar pols.
'Je hebt geluk gehad, jongedame! Het scheelde echt niet veel. Je slagader was bijna geraakt.'
Slagader? Dat was haar bedoeling niet geweest. Ze had er zelfs nog aan gedacht dat ze die ader niet mocht raken. En had mama haar niet laten schrikken, dan was er ook niets aan de hand geweest.
'Dan laat ik je nu even met je moeder praten. Ik zie je straks nog wel', zei de arts.
Hij knikte even naar mama. Toen verliet hij de kamer.
'Engeltje?' zei mama die dichterbij kwam. 'Ik ben zo blij dat ik op tijd bij je was. Daarnet heb ik papa gebeld. Hij komt zo.'
Ze kneedde een papieren zakdoekje tussen haar vingers tot een prop.
'Mama? Ben je boos op me?' Anneleen klonk huilerig.
'Natuurlijk niet.'
'Het is niet geweest wat het lijkt. Het was een ongeluk. Ik verloor mijn evenwicht en toen… Het zal niet meer gebeuren, mama. Echt nooit meer. Dat zweer ik. Het is niet mijn bedoeling geweest om je verdrietig te maken.'
Mama streelde de haren van Anneleen.

'Dat weet ik. We praten later wel. Maak je nu geen zorgen.'

'Mam?' Anneleen probeerde overeind te komen, maar mama duwde haar terug in de kussens.

'Blijf liggen. Wat scheelt er?'

'Ik wil niet aan iedereen vertellen wat er gebeurd is. Ook niet aan Mandy. Het was een ongeluk en ik wil het zo vlug mogelijk vergeten.'

Anneleen probeerde zo overtuigend mogelijk te klinken.

'Goed hoor', zei haar moeder.

Waarom vroeg mama niets? Wilde ze dan geen details horen? Dat was ook de eerste keer.

'Misschien kunnen we vertellen dat ik heel veel buikpijn had en dat we vreesden voor blindedarmontsteking of zo.'

Mama trok haar wenkbrauwen op.

'Dat is een leugen, Anneleen. Waarom zouden we liegen? Je zegt zelf dat het een ongeluk was. Trouwens, zelfs in het andere geval is er geen reden om leugens te vertellen.'

'Alsjeblieft, mama. Mandy zou zich te veel zorgen maken. En Jelle en Fran zouden me uitlachen. Dat deden ze nu al omdat ik mijn teksten voor de wedstrijd niet kon onthouden.'

'Die teksten hebben hiermee toch niets te maken?'

'Toe, mama. Het is belangrijk voor me. Ik wil niet dat ze denken dat er iets met me aan de hand is.'

Haar moeder zweeg. Anneleen merkte dat er iets in haar blik veranderde. Alsof haar opeens duidelijk werd dat er een boel dingen fout zaten. Dingen die allemaal met Jelle te maken hadden.

'En wat zou er aan de hand kunnen zijn?'

Wat een vraag. Ze kon het onmogelijk allemaal aan mama uitleggen. Mama zou het niet snappen. Mama wist niet eens van haar hartenpijn af. En dat moest zo blijven. Het was de enige manier om de pijn zo vlug mogelijk te kunnen vergeten, want mama wilde altijd eindeloos over alles praten.

'Ik weet het niet', antwoordde ze onzeker. 'Soms kunnen die twee heel vervelend doen. Ik wil geen risico's nemen. Mandy en ik moeten rustig kunnen repeteren. Ik wil me kunnen concentreren en...'

'Anneleentje', onderbrak mama. 'Maak je geen zorgen over repetities. Dat is nu toch allemaal niet belangrijk.'

'Het is wel belangrijk. Jelle en Fran mogen niet winnen, mama. Ik zal er alles aan doen zodat ze niet zouden winnen. En Mandy ook.'

Mama knikte.

'Dus we vertellen niets over wat er gebeurd is?'

'Goed. Als jij het zo wilt', zuchtte mama.

'En ik wil niet meer dat je Jelle zomaar binnenlaat als hij komt.'

'Ja, goed.'

'Mogen we straks naar huis?'

Anneleen keek naar haar pols. Daar zat nu een dik verband omheen.

Mama haalde haar hand door haar haren.

'Eerst komt er nog iemand met je praten.'

'Wie dan wel?'

'Een arts.'

'De arts van daarnet? Die Devlieger?'

'Nee, een andere arts. Iemand die wil nagaan of je misschien nog andere problemen hebt.'

'Welke problemen?'

'Misschien psychische problemen.'

'Bedoel je dat die arts een zielenknijper is? Een psychiater? O mam, doe me dat niet aan.'

Anneleen draaide haar hoofd en keek door het raam. De wind speelde met de takken van een boom.

Mama zuchtte nog een keer.

'Zo erg is dat toch niet. Hij komt alleen maar praten. Dat is zijn werk. En achteraf kunnen we samen met papa naar huis.'
'Mam, ik heb geen psychiater nodig. Ik ben niet gek.'
'Dat beweert ook niemand. Luister, Anneleen. Het kan niet fout zijn om eens met die arts te praten.'
'Maar waarom? Ik heb geen probleem.' Haar mond werd droog. Anneleen beet even op haar bovenlip.
'Mooi zo. Dan zal het gesprek vlug voorbij zijn.'
Het gezicht van mama sprak boekdelen. En toch dacht Anneleen er niet aan om alles aan die arts te vertellen. Hij moest zich niet met haar bemoeien.
'Kijk, mam. Ik weet dat ik met jou en papa moet praten als ik een probleem heb.'
'Goed dat je dat beseft, meid. Ik ben dokter Joos. Jij moet Anneleen zijn', zei de lange man in witte jas die in de kamer kwam.
'Dag dokter. Ik laat jullie even alleen', zei mama.
'Mama! Nee! Wacht! Mam!' riep Anneleen.
Haar moeder scheen het niet te horen.

# Vijfentwintig

'Je moeder komt zo meteen terug', zei de arts die een stoel dichterbij schoof en ging zitten. 'Daarstraks heb ik al met haar gepraat. We hebben afgesproken dat ze ons een poosje alleen zou laten.'

Anneleen keek opzij. De boomtoppen bewogen iets minder hevig.

'Vertel eens wat er gebeurd is, Anneleen.'

Anneleen hield haar adem in.

'Eh, niets. Ik had een mes gepakt en mama liet me schrikken. Toen moet ik me gesneden hebben. Het was een ongeluk.'

De arts knikte begrijpend.

'Waarvoor had je dat mes nodig?'

'Om iets door te snijden.' Ze werd rood. Ze had iets beters moeten bedenken.

'Ja, dat zal wel. Luister, Anneleen. Dokter Devlieger heeft meteen gemerkt dat je al eerder geprobeerd hebt om jezelf te verwonden. Het heeft dus geen zin om me voor te liegen. Ik wil je helpen, Anneleen. Ik maak me zorgen. Dus moet je me de waarheid vertellen.'

Anneleen knikte.

'Gaat het thuis niet goed?'

Ze schudde haar hoofd.

'Is er ruzie met je ouders? Over uitgaan of zo?'

Anneleen schudde nog een keer nee.

'Over kleding? Jongens? Geld?'

'Nee, helemaal niet.'

'Dan is er misschien een probleem op school? Misschien door die hersenschudding?'

Anneleen haalde haar schouders op.

'Haal je slechte resultaten?'

'Nee.'

'Of is er wat met een jongen?'

Anneleen zuchtte.

'Waarom denk je dat het iets met een jongen te maken heeft?'

'Omdat jongens heel vervelend kunnen doen. Had je misschien een vriend die het uitgemaakt heeft?'

'Nee, zo is het niet.'

'Maar er is toch wel een probleem met een jongen?'

Ze glimlachte even. Voor zielenknijpers kon je niets verbergen.

'Jelle weigert om nog langer mijn Othello te zijn.'

De arts stak zijn handen in de lucht.

'Dat snap ik niet.'

Toen vertelde Anneleen over de voordrachtwedstrijd en hoe ze begonnen was zichzelf te prikken met een passerpunt.

'Je begon jezelf te prikken omdat je dacht dat je op die manier de aandacht van Jelle zou trekken?' vroeg Joos.

Anneleen haalde haar schouders op. Het was vanzelf gegaan. Het was een manier om de pijn van binnen weg te krijgen. Ze had er verder niet over nagedacht.

'Anneleen, luister eens goed naar me. Denk jij dat jij het respect van Jelle of van wie dan ook kunt afdwingen door jezelf te verwonden?'

Ze schudde haar hoofd. Zo had ze het nog niet bekeken.

'Hoe, denk je, kun je het respect van Jelle wel afdwingen?'

Anneleen merkte dat de boomtoppen alweer flink heen en weer bewogen. Het werd ook woeliger bij haar van binnen.

'Wat zou je moeten doen zodat Jelle jou weer zou zien staan? Figuurlijk dan', ging de arts verder. 'Weet je het?'

Anneleen knikte.

'Heel goed presteren tijdens de voordrachtwedstrijd.'
'Je bedoelt dat je moet proberen heel goed te presteren tijdens de voordrachtwedstrijd, want je hebt niet alle factoren die daarin meespelen in handen.'

# Zesentwintig

'Anneleen, Jelle is er', zei mama de volgende dag na schooltijd. 'Wil je met hem praten?' Mama bleef in de deuropening van de kamer staan. Anneleen lag in bed.
'Moet dat?'
'Het moet niet, maar waarom zouden jullie niet meer met elkaar praten?'
'Oké. Laat hem maar binnen.' Ze verborg haar arm met het verband onder haar deken.
'Gaat het?' vroeg Jelle een poosje later.
'Valt wel mee', antwoordde ze stil. Ze wist dat de pijn in haar hart heel dichtbij zat, klaar om in volle hevigheid toe te slaan, maar ze wilde er niet meer aan toegeven. Ze wilde niet meer moeten krassen en snijden. Trouwens, ze had aan die Joos en aan haar ouders beloofd om het niet meer te doen.
'Mandy vertelde dat je opeens heel veel buikpijn had en dat je daardoor naar het ziekenhuis moest.'
'Klopt ja.'
'Vind ik erg voor je. Ik wilde je toch even zien, want ik heb me de hele tijd schuldig gevoeld. Ik had zo rot tegen je gedaan.'
Anneleen kleurde en keek weg. Hij had dus toch schuldgevoelens! 'Het gaat alweer veel beter', zei ze in de hoop dat hij er nu over zou ophouden.
Hij knikte.
'Ik hoop dat je niet te lang in bed moet blijven liggen.'
'Morgen zal ik wel weer kunnen opstaan.'

Het bleef een poosje stil. O, Jelle! Durfde ze maar te zeggen wat ze voor hem voelde. Mocht hij het weten zou hij haar waarschijnlijk uitlachen. En haar nog een keer vergelijken met Fran.

'Dan ga ik er maar weer vandoor. Komt de geheimzinnige Othello morgen met je repeteren?'

'Vast wel. Hij maakt zich heel veel zorgen om me. Hij is ontzettend lief.'

Kijk eens aan. Er veranderde iets in de blik van Jelle. Alsof iets hem echt geraakt had. Alsof hij een tikkeltje jaloers was. Of heel erg jaloers zoals Othello in het toneelstuk. Othello had zelfs Desdemona gedood omdat hij jaloers was.

'En jij hebt jezelf verwond omdat je jaloers was', zei een zeurende stem diep van binnen.

Anneleen schrok ervan. Wat een geluk dat Jelle niets gemerkt had.

'Ik maakte me ook zorgen. Geloof me. Ik wens je het beste en tot ziens.'

'Ja, tot gauw', knikte ze.


De volgende dag voelde Anneleen zich alweer sterk genoeg om met Mandy te repeteren.

'Ben je genezen?' vroeg Mandy toen ze binnenkwam.

'Ja hoor.'

'Is er iets met je pols? Ik merk dat je een groot verband draagt', vroeg Mandy onzeker.

Anneleen kleurde.

'Valt wel mee', zei ze terwijl ze controleerde of het verband nog goed zat.

'Wat is er precies gebeurd?'

'Een stomme val! Ik gleed uit en ik wilde mijn arm die in het gips zit sparen, dus ben ik met mijn volle gewicht op mijn andere pols gevallen.'

Tegen Jelle had ze iets anders gezegd.

'Toen kreeg ik nog buikpijn. Ik kon echt niet naar school', ging Anneleen verder.
'Ik kan het me voorstellen', knikte Mandy. 'Beginnen we?'
'Oké.'
Toen werd er aan de voordeur gebeld.
'Ogenblikje. Ik ga kijken', zei Anneleen.
Het waren Jelle en Fran.
'Hoi', zei Jelle.
'Ook hoi', zei Anneleen. 'Wat kan ik voor jullie doen?' vroeg ze aarzelend. Vreemd dat ze zoiets aan Jelle moest vragen. Vroeger viel hij altijd zo maar bij haar binnen.
'Mogen we binnenkomen? Even?' Jelle trok zijn wenkbrauwen op.
Anneleen zuchtte.
'Goed. Alleen heb ik niet veel tijd. En Mandy is er ook.'
Anneleen liet hen in de woonkamer. Intussen was Mandy naar beneden gekomen.
'We blijven niet lang. Eigenlijk willen we de onbekende Othello zien', zei Jelle.
'Hij is er nog niet.'
'Geen probleem. We wachten hier wel', zei Fran die aanstalten maakte om te gaan zitten.
'Niks van', zei Mandy. 'Het duurt nog uren voor hij komt. Misschien komt hij helemaal niet.'
Mandy en Anneleen keken elkaar veelbetekenend aan.
'O. Net nu ik hem iets wilde vragen', zei Fran pruilend.
'Vraag maar aan mij. Ik zal de boodschap overbrengen', zei Anneleen.
'Vertel hem dat ik een filmcarrière wil. En om te bewijzen hoe goed ik wel ben heb ik een filmopname laten maken. Alles staat op cd. Meteen merkt hij ook wel dat ik er heel knap uitzie', glimlachte Fran.
'Wat een pretentie!' zuchtte Mandy.
'Wat?' vroeg Fran. 'Wil je die cd aan hem geven, Anneleen?'
'Ja, doe ik wel', knikte ze. 'Leg maar ergens neer.'

'Ik zou ook wel eens met hem willen praten', merkte Jelle op. 'Volgend jaar ga ik naar het conservatorium. Misschien moet ik daar met hem samenwerken en zo.'

Mandy proestte het uit.

'Weet je wat ik zou doen? Ook een cd maken', vond Anneleen. Wel grappig dat knappe, begaafde Jelle in de onbestaande Othello geloofde.

'Ja, goed idee', zei Mandy spottend. 'Dan kan hij meteen beoordelen of je er knap genoeg uitziet. Om in die films van Stijn Coninx te spelen worden heel hoge eisen gesteld...'

Jelle snoof.

'Hoe ziet die acteur er uit? Ik bedoel de onbekende Othello? Erg mooi zeker?' vroeg Fran.

Anneleen keek eerst naar de blonde haren en de blauwe ogen van Jelle voor ze antwoord gaf.

'Als in een droom. Zwarte krullende haren. Bijna zwarte ogen. Een mooie gebruinde huid.'

'De tegenpool van Jelle als je het mij vraagt', vulde Mandy aan. Ze knipoogde naar Anneleen.

Jelle snoof nog een keer.

'En zijn stem. O, wat een stem!' plaagde Anneleen terwijl ze haar ogen even dicht deed.

'Kom, Fran. We gaan', zei Jelle bits.

Even voelde Anneleen de drang om Mandy weg te sturen en een mes tevoorschijn te halen. Ze beet heel hard op haar onderlip. Nee, ze mocht er niet aan toegeven.

'Blij dat ze vertrokken zijn', zei Mandy een poosje later.

Ze gingen opnieuw naar de kamer van Anneleen. Mandy zuchtte.

'Ik voel me hier helemaal niet goed bij. Er is geen andere Othello. Intussen hebben we zoveel leugens verteld dat we er nooit meer uitkomen', zei Anneleen.

'Trek het je niet aan. We verzinnen wel wat. Dat die acteur ziek geworden is of zo. Of onverwacht naar Cannes moet voor prijsuitreikingen. Maar ik ben boos op Jelle. Hij zou moorden begaan om zijn doel te bereiken', vond Mandy.

'Hoe toepasselijk. Romeo pleegt zelfmoord', merkte Anneleen op.

Mandy gooide haar hoofd omhoog.

'Maar ik gun Jelle de overwinning niet. Weet je wat ik zal doen tijdens hun optreden?' vroeg ze.

Anneleen schudde haar hoofd.

'Ik zal hem boycotten. Ik stuur Wervelino het podium op terwijl Jelle aan Julia zijn liefde verklaart. En achteraf vertel ik gewoon dat ik het paard niet meer kon tegenhouden. Jelle zal geschrokken zijn en zijn tekst vergeten.'

Anneleen lachte.

'Laat maar. Ik wil niet gediskwalificeerd worden. Kom, laten we gaan repeteren. *Sorry, Othello, ik vind die zakdoek niet.*'

Anneleen trok haar wenkbrauwen op.

'*Desdemona, ik heb je met Cassio horen praten. Hij had het over de liefde tussen jullie beiden. Blijkbaar is die nog niet voorbij. Je gaat ook met hem naar bed. Dat vergeef ik je nooit*', zei Mandy. Ze probeerde boos te kijken.

'*Dat heb ik niet gedaan. Dus hoef je me niet te vergeven*', zei Anneleen.

'*Het is nooit mijn bedoeling geweest om met een hoer te trouwen.* Weet je wat ik doe? Ik smeer het podium in met zwarte zeep, zodat Jelle verongelukt', riep Mandy uit.

Anneleen zuchtte diep en schudde haar hoofd.

'Mandy, dat staat niet in de tekst', probeerde ze geduldig te blijven. Ze ging op het bed zitten.

'Dat weet ik. Sorry. Ik ben gewoon iets aan het verzinnen om die wedstrijd te winnen.'

'Echt lief van je, maar ik wil wel op een eerlijke manier winnen', zei Anneleen. '*Ik ben geen hoer.*'

'Huh?' Mandy keek verbaasd. 'Ik heb ook niet gezegd dat je in ruil voor de overwinning met Jelle naar bed moet. Trouwens, dan nog zou je geen hoer zijn.'

Anneleen lachte.

'Kunnen we bij de toneeltekst blijven? Desdemona zegt dat ze geen hoer is. Ik heb het niet over mezelf.' Anneleen liet zich lachend achterover op haar bed vallen. 'Niet dat ik een hoer ben.'

'O. Sorry. Ik dacht...'

Anneleen maakte een gebaar van laat maar zitten en kwam weer overeind.

'Toe nou Mandy. *Ik ben geen hoer.*'

'*Nee? Hoe komt Cassio dan aan jouw zakdoek? Je bent die zakdoek in zijn bed vergeten. Dat heeft hij zelf gezegd. Die zakdoek is het bewijs van je ontrouw! Je moet sterven!*'

'*Ik wil niet sterven*', zei Anneleen. Ze probeerde heel bang te kijken en ging een stap achteruit.

'Dat is natuurlijk ook een mogelijkheid', zei Mandy. Ze krabde aan haar neus.

'Wat bedoel je?'

'Ik wil niet dat Jelle sterft, helemaal niet. Maar mocht hij ziek zijn dan kan hij niet optreden.'

'Vergeet het, Mandy. Hij wordt niet ziek omdat jij dat wilt.'

'Nee, daarin heb je gelijk.'

Het bleef een poosje stil.

'Misschien kunnen we de jury omkopen?' vroeg Mandy met een grijns op haar gezicht.

'Je bent onverbeterlijk, Mandy.'

Opeens straalde Anneleen.

'Hé? Wat is er met jou aan de hand?' vroeg Mandy.

De ogen van Anneleen werden heel groot. 'Ik heb een schitterend idee. Dat ik daar nu nog nooit aan gedacht heb. Als dat lukt, winnen we zeker. Mandy! Yes! Dat is het!'

# Zevenentwintig

'Dat lukt je nooit', riep Mandy uit. Ze schudde met haar hoofd.
'Dat lukt me wel. Wacht maar af', zei Anneleen dolenthousiast.
Mandy grinnikte.
'Het zal niet gemakkelijk zijn. En denk je dat we dat stiekem kunnen?'
Anneleen keek haar vriendin recht in de ogen.
'Het moet, Mandy. Alleen zullen we het wel aan onze ouders moeten vertellen. Hoe kunnen we anders uitleggen dat we zo vaak van huis moeten?'

'Papa?' vroeg Anneleen terwijl ze een poosje later zijn werkkamer binnenkwam. Papa was aan het tekenen. Ongetwijfeld weer een schets voor een of andere klant.
'Ja?' Hij zette zijn bril af en legde zijn potlood neer.
'Heb je even tijd?' Ze ging naast zijn tekentafel staan. 'O, papa. Ik heb zo'n schitterend idee en jij moet me helpen', zei ze zonder zijn antwoord af te wachten.
Papa glimlachte. Anneleen had vroeger al wel meer schitterende ideeën gehad...
'Echt waar, papa. Geloof je me niet? Luister goed.'
Anneleen praatte heftiger. Haar ogen fonkelden.
Papa zuchtte toen ze uitgepraat was. Met zijn rechterhand streek hij door zijn haren.
'Engeltje van me. Het is niet gemakkelijk om zo iemand te bereiken en te overtuigen', zei hij.

Anneleen knikte.

'Dat weet ik ook wel. Maar jij bent een heel bekende architect uit een heel bekend architectenkantoor. Je hebt ongelooflijk veel relaties, dus jou moet het lukken.'

Ze keek hem met grote ogen aan.

'Je timing is ook slecht. Je kunt er niets aan doen, maar je zit wel met je arm in het gips', merkte papa op.

Anneleen knikte.

'Nog een poosje, ja. Maar dat kan toch geen rol spelen?'

Papa zuchtte.

'Dat weet ik niet. Goed, ik kijk wat ik kan doen. Maar ik beloof niets hoor.'

Anneleen glunderde.

'Hé? Heb je me gehoord? Ik kan je geen garanties geven', zei papa.

# Achtentwintig

De eerstvolgende maandag na schooltijd was Anneleen erg gehaast.
'Anneleen? Kunnen we praten?' vroeg Jelle die naast haar kwam staan. Met één hand gooide Anneleen haar spullen in haar rugzak.
'Sorry, Jelle. Een andere keer. Ik moet echt weg.'
'Mag ik mee? Misschien wil je moeder me een lift geven? Ik kan mijn fiets hier tot morgen laten staan.'
Anneleen schudde haar hoofd.
'Nee, Jelle. Echt niet. Ik ga niet naar huis. Ik heb een afspraak op het architectenkantoor van papa.'
'Anneleen, wil je zeggen dat het je gelukt is?' vroeg Mandy verbaasd.
'Yip.'
'En je hebt daar de hele dag niets over gezegd.'
Anneleen glimlachte breed.
'Ik wilde je verrassen. Vanavond vertel ik alles. Tijdens de repetitie.'
'Wauw! Ik kijk er naar uit', zei Mandy.
Lachend vertrokken de twee vriendinnen. Jelle bleef beduusd achter.

Op het kantoor waar papa werkte, was het zoals gewoonlijk erg druk. Anneleen zwaaide naar verschillende bekende gezichten en liep meteen door. Papa keek op toen ze zijn kantoor binnenkwam.

'Dag engeltje. Ik had je nog niet verwacht.' Hij keek op zijn horloge. 'Maar... ik heb nog twee minuutjes. Kom je mee?'
'Natuurlijk', knikte ze.
'O, nog iets.' Met zijn rechterhand streek hij door zijn haren. 'Vergeet niet dat er op een professionele manier moet gewerkt worden.'
Anneleen fronste haar voorhoofd.
'Wat bedoel je?'
Met zijn rechterhand pakte papa zijn bril van zijn neus.
'Als je aan het werk bent, is er geen tijd om met Mandy bezig te zijn. Dus niet de hele tijd naar haar bellen of sms'en.'
Anneleen schudde haar hoofd.
'Logisch toch, papa.' Ze keek wat geërgerd. 'Ik zal het echt proberen goed te doen.'
'Soms zul je het zelfs stresserend vinden vermoed ik.'
Anneleen knikte en beet op haar onderlip.
'Dat heb ik er graag voor over. Geen probleem dus.'
Papa legde zijn bril neer. 'Zullen we dan maar?' vroeg hij.
'Ja, graag.'
Papa kwam van achter zijn bureau vandaan en gaf haar een duwtje tegen haar rug. Wat verder in de gang klopte hij op een deur en liet haar openzwaaien.
'Zo. Dit is Otwin', zei papa rustig. 'Otwin, mag ik je mijn dochter Anneleen voorstellen?'
'Hoi', zei Otwin die meteen opstond. Hij lachte zijn parelwitte tanden bloot.
Anneleen bleef als aan de grond genageld staan.

'O, Mandy', zei Anneleen later op de avond toen ze in haar kamer stonden. 'Daar stond werkelijk de knapste jongen die ik ooit gezien heb. Ik wist niet meer wat te zeggen. Ik stond daar naar hem te staren. En ik kon er alleen maar aan denken dat ik niet mocht beginnen giechelen als een bakvis. Zenuwachtig dat ik opeens was!

Mijn vader heeft er zelfs een grapje over gemaakt.'
'Maar beschrijf hem dan toch', drong Mandy aan.
Anneleen hield haar hoofd schuin.
'Dat is moeilijk hoor. Groot, slank, zwarte haren, donkerbruine ogen, gebruinde huid, een kleine snor... O en de manier waarop hij lacht, vergeet ik nooit! Ik krijg kriebels in mijn buik als ik aan hem denk.'
Mandy barstte in lachen uit. Anneleen keek alsof ze iets uitgespookt had en nu betrapt was.
'Hola! Wanneer krijg ik dat wereldwonder te zien?' vroeg Mandy.
'O, ik denk heel vlug.' Anneleen keek dromerig.
'Ik hoop het. Hoe oud is hij?'
Anneleen haalde haar schouders op.
'Heb ik niet gevraagd. Twintig? Iets ouder nog?'
Mandy knikte.
'En met hem zul jij samenwerken?'
'Reken maar. Wauw! Ik kijk er naar uit', glunderde Anneleen.
'Geluksvogel. Maar ... Stel dat het niet klikt tussen jullie?'
'Onmogelijk', zei Anneleen terwijl ze met haar hoofd nee schudde. 'Echt, Mandy, we hebben daar minstens een uur zitten praten. Het is alsof ik hem al mijn hele leven ken. Nee, het wordt fantastisch. Trouwens, we beginnen morgen al.' Ze liet zich op haar bed vallen en keek naar het plafond.
'Morgen al? Hé zeg, mag ik niet in jouw plaats?' plaagde Mandy. Toen zag ze de moeder van Anneleen in de deuropening staan. 'Je laat me schrikken', riep Mandy uit.
'Sorry. Jelle staat aan de voordeur. Hij vraagt of hij je leerboek Frans mag lenen. Zal ik hem binnenlaten?'
'Liever niet, mam. We zijn aan het repeteren.' Anneleen veerde overeind. Het was niet de bedoeling dat Jelle veel over Otwin hoorde. Jelle moest uit de buurt blijven.
'Toe nou, Anneleen. Dat kun je toch niet weigeren.'
Anneleen zuchtte.

'Oké. Even dan.'

Een poosje later kwam Jelle de kamer binnen.

'Hoi', zei Anneleen. 'Je wilt mijn leerboek Frans? Alsjeblieft.'

Anneleen viste het boek uit haar schooltas en gaf het.

Hij pakte het, maar bleef treuzelen.

'Is er nog wat? Wat kom je doen, Jelle?' vroeg Anneleen.

Snapte hij dan niet dat hij stoorde? Hij kon toch niet altijd en overal opduiken?

'Wel... hum... Ik wilde ook nog de repetitie bijwonen. Maar ik merk dat jullie niet repeteren. Dus ga ik er maar weer vandoor. Ik ... Ciao!'

Anneleen keek verbaasd. Ze had de indruk dat het boek een smoes was en dat Jelle haar iets wou vertellen. Iets dat Mandy niet mocht horen.

# Negenentwintig

Woensdagmiddag. Toen Anneleen en Mandy van school weg wandelden, parkeerde iemand wat verderop een zware motorfiets. De bestuurder zette zijn blauwe helm af.
'Hé, Anneleen?' riep hij.
'Otwin', antwoordde ze verbaasd. Snel liep ze naar hem toe. Ze besefte eerst niet dat Fran en Jelle haar volgden.
'Wauw! Is hij die acteur?' hoorde ze Fran aan Jelle vragen. 'Wat een kanjer! Hoe slaagt Anneleen er in om zo iemand aan de haak te slaan?'
Anneleen lachte. Zalig gewoon dat Fran en Jelle zo van Otwin onder de indruk waren.
Toen stelde Anneleen Otwin en Mandy aan elkaar voor. Wat keek Fran zuur! Ongetwijfeld omdat zij niet werd voorgesteld.
'Anneleentje, zal ik je thuis brengen?' vroeg Otwin met zwoele stem terwijl hij naar de anderen keek.
'Nee, dank je. Mijn moeder staat verderop te wachten.' Anneleen draaide zich even om de richting aan te wijzen.
Op het gezicht van Fran verscheen opeens een brede glimlach.
'Ik geloof dat ik net mijn bus gemist heb', zei Fran. Dat haar leugen erg doorzichtig was, stoorde haar blijkbaar niet. 'O shit, ik zal twee uur op de volgende moeten wachten.'
'Dat is niet waar, Fran. Je bus vertrekt over twintig minuten', wees Jelle haar terecht. Hij keek geërgerd.
'Zwijg', snauwde ze. Toen lachte ze weer heel liefjes naar Otwin.

Anneleen grinnikte en Otwin deed alsof hij Fran niet gehoord had.

'Anneleentje, ik vind het erg jammer, maar ik moet onze afspraak voor vanavond verplaatsen. Er gaat een film in première waar ik absoluut naar toe moet en...'

'Geen probleem, Otwin', antwoordde Anneleen. 'Ik heb ook nog heel veel andere dingen te doen.' Ze glimlachte en voelde even aan haar gips.

'Welke film? En waar wordt hij gedraaid?' vroeg Fran die voorzichtig haar hand op Otwins arm legde. Hij schudde haar van zich af.

'In Brussel natuurlijk. Ik bel je nog, Anneleentje.' Otwin knipoogde.

Anneleen lachte toen ze zag dat Fran tandenknarste.

'Otwin? Ik mag toch wel Otwin zeggen?' vroeg Fran zeemzoet. 'Blijkbaar heeft Anneleen niet de beleefdheid om mij voor te stellen, dus doe ik dat zelf maar. Ik ben Fran', zei ze met nadruk. 'De Fran uit de filmopname die op die cd staat. Die heb je toch al gezien of niet? Ik ben nog niet zo lang actrice, maar ik ga een schitterende carrière tegemoet.' Ze gebruikte woorden uit een boekje.

Otwin keek haar minachtend aan. Anneleen grinnikte toen zelfs Jelle keek alsof Fran niet goed bij haar hoofd was. Had hij het dan nog niet gesnapt? Dit was Fran ten voeten uit!

'Iedereen zegt dat ik heel veel talent heb', ratelde Fran verder. 'Misschien word je ooit mijn tegenspeler?'

Otwin grijnsde breed.

'Ik weet wel zeker van niet', zei hij.

Fran werd bleek. Haar lach bevroor op haar gezicht. Anneleen en Mandy hadden alle moeite van de wereld om het niet uit te proesten.

'Dat kun je toch niet weten? Mijn niveau is heel hoog hoor. Misschien moet ik het rechtstreeks aan Stijn Coninx vragen', ging Fran verder.

'Stijn Coninx? Juist, ja. Vraag het hem maar. Anneleentje, krijg ik een zoen? Ik moet er nu echt vandoor.' Hij trok het meisje dichterbij en kuste haar op haar wang. 'Pas goed op jezelf, oké?'

Hij zette zijn helm weer op, startte de motor en reed weg.

Toen hoorde Anneleen dat Jelle binnensmonds aan het vloeken was. Anneleen genoot.

# Dertig

Het volgende weekend was er repetitie in het auditorium. Op het podium stonden Anneleen en Mandy te wachten op het signaal dat ze konden beginnen.

'Ho Anneleen, ik ben kapot van de zenuwen. Vannacht heb ik geen oog dicht gedaan. Ik zou er de helft van mijn spaarrekening voor over hebben om niet te moeten deelnemen aan die wedstrijd', zei Mandy.

'Toe nou Mandy. We zijn nu al zo ver. Nu ga je toch niet opgeven?' vroeg Anneleen geschrokken. Het begon weer te jeuken onder haar gips. Ook dat nog.

Mandy haalde haar schouders op en zuchtte.

'Nee, natuurlijk niet. Dat kan ik jou niet aandoen.'

Anneleen schudde haar hoofd. 'Denk aan leuke dingen. Denk aan Wervelino.'

Mandy zuchtte nog een keer.

'Oké. Mandy en Anneleen, ik ben klaar', riep Vic die zich met licht en geluid bezighield.

Mandy zette een stap naar voor en begon met trillende stem. Anneleen viel in. Zo dramatisch mogelijk.

'Schitterend!' riep Vic toen ze klaar waren.

Anneleen ademde hoorbaar uit. Het was inderdaad heel vlot verlopen. Ze hadden zelfs niet een keer gehaperd. Mandy en Anneleen verlieten het podium en gingen in de zaal op de tweede rij zitten.

'Knap gedaan', riep Jelle die helemaal vooraan naast Fran zat. Fran draaide zich. Aan haar ogen te zien was ze daarmee niet akkoord. Was ze nu echt zo jaloers dat ze hen niet eens een compliment gunde?

'Ik vind dat het nog beter kan', zei Fran. De manier waarop ze praatte sprak boekdelen. 'Echt, Anneleen, je praat veel te zacht. Af en toe hoorde ik je zelfs niet. Je spreekt altijd op dezelfde toon en je hebt zo weinig uitstraling.'

De mond van Anneleen viel open. Wat een kreng!

'Hou op over uitstraling en kijk naar jezelf', beet Mandy.

'Fran bedoelt alleen dat je er een beetje moe uitziet, Anneleen', suste Jelle.

Anneleen slikte haar keel vrij en probeerde zo nonchalant mogelijk te kijken. Misschien zou Fran ophouden als ze haar gewoon negeerde.

'Dat bedoel ik helemaal niet', zei Fran. 'Je ziet toch zelf hoe gespannen ze is. En ze moet beter articuleren. Het ergste is nog dat haar stem niet ver genoeg draagt.'

'Hou op, Fran!' riep Jelle. Hij balde zijn vuisten.

'Laat maar zitten, Jelle', zei Anneleen rustig. 'Ik heb nooit verwacht dat Fran zich sportief zou gedragen.'

Fran veerde overeind.

'Wat is dat nu voor een beschuldiging', riep ze verontwaardigd uit. 'Wacht maar af tot ik op het podium sta. Dan zul je horen welke goede stem ik heb en kun je vergelijken.'

'Kom, Anneleen, we gaan naar huis. We kijken niet toe hoe Fran klungelt op het podium. En dan denkt ze nog dat ze zal winnen', zei Mandy.

'Natuurlijk winnen we! En dat Anneleen maar uitkijkt! Misschien laat Otwin haar de dag van de wedstrijd wel in de steek', pestte Fran. 'Maar ja, dan kan Anneleen nog altijd in het kanaal springen natuurlijk.'

'Bitch!' riep Anneleen.

# Eenendertig

Twee uur later stond mama in de kamer van Anneleen.
'Jelle is er. Hij wil met je praten. Vind je het goed?'
Anneleen zuchtte.
'Toe nou Anneleen, jullie zijn jarenlang vrienden geweest. En nu opeens?'
'Oké, laat hem maar binnen.'
Annneleens moeder ging weg.
'Stoor ik?' vroeg Jelle toen hij in de kamer kwam.
Anneleen stond op.
'Shit, Jelle. Ik vind het niet leuk dat jij hier altijd zomaar opduikt.'
'Waarom niet?' vroeg hij verbaasd.
Even trok Anneleen haar wenkbrauwen op.
'Dat weet je zelf wel.'
'Dat weet ik niet. Zolang ik je ken mocht ik hier altijd zomaar binnenvallen en was dat nooit een probleem. En nu opeens?'
Hij stak zijn vuisten in zijn zakken. Met een zucht ging Anneleen aan haar bureau zitten.
'Waarom kom je?' vroeg ze triest. Ze had geen zin om nog meer hatelijke dingen te horen.
Hij haalde diep adem.
'Ik wil sorry zeggen voor Fran.'
Anneleen trok haar wenkbrauwen op en keek hem zijdelings aan.
'Dat moet ze zelf doen.'
'Nee, je snapt het niet.' Hij kwam dichterbij en legde zijn hand op haar arm.

'Ik wil zelf sorry zeggen. Ik vind dat ze te ver gegaan is. Je speelde schitterend. De tekst is ook veel beter geworden. Een applaus waard.'
Hij applaudisseerde.
Anneleen knikte en er verscheen langzaam een glimlach op haar gezicht.
'Thanks.'
'Wel grappig dat Mandy zo zenuwachtig was', grinnikte hij. 'Het maakt niets uit voor de wedstrijd natuurlijk. Ze is toch maar een invalster.'
Anneleen werd lijkbleek. Het bleef een poosje stil. En die stilte voelde niet prettig aan.
'Je bent de laatste tijd heel weinig thuis', ging hij verder. 'Misschien daardoor dat je er zo moe uitziet? Neem je niet te veel hooi op je vork?'
Lief dat hij zo bezorgd was.
'Ja, ik heb veel te doen de laatste tijd', knikte ze geheimzinnig en keek weg.
'Ik eigenlijk ook. De repetities nemen veel tijd in beslag. Maar je zult die repetities met Otwin wel heel leuk vinden. Wat vinden je ouders van hem?'
Ze ging iets verzitten en leunde meer achterover.
'Ze vinden hem cool. En dat is hij ook. Hij heeft heel veel geduld. Het is heerlijk om met hem samen te werken.'
Vond Jelle dat niet leuk? Moet je zijn gezicht zien.
'Ik moet weg', zei hij een paar tellen later. Hij keek haar recht in de ogen.
Wat wil je me in godsnaam vertellen? dacht Anneleen. Zeg het dan toch.
Hij zette enkele passen achteruit.
'Ik heb nog een afspraak met... enkele vrienden', aarzelde hij.
'Met Fran', corrigeerde ze hem.
Hij knikte.

'Fran zal er ook zijn. Het wordt leuk. Ciao.'
Haar mond vormde ciao, maar hij hoorde niets. Nog even bleef hij staan. Toen verdween hij.

Fran zou er dus ook zijn, dacht Anneleen. Wel duidelijk dat Jelle het leuk vond om met haar af te spreken. En toch, daarnet had ze nog gedacht dat hij veranderd was, zachter geworden was. Niet dus.
Bah. Het deed nog altijd heel veel pijn dat hij met Fran "Romeo en Julia" zou spelen. Het deed zelfs pijn als hij het gewoon over Fran had. Was dat geen bewijs dat ze iets voor hem voelde? En hij? Soms zag hij haar niet eens staan. Figuurlijk dan.
Hoe ook moest de pijn weg. Het was vreselijk, maar ze kende maar één manier om hem even te laten verdwijnen. Maar ze mocht niet. Nee, ze wilde het niet doen.
Anneleen duwde haar twee armen dicht tegen haar lichaam. Die pijn bleef maar knagen.
Waarom hoorde ze lawaai in haar hoofd? Anneleen kneep haar ogen hard dicht. Nee, ze wilde niet gek worden. Dat lawaai werd scherper. Het leken wel stemmen die dichterbij kwamen. Vreemd, maar die stemmen leken heel goed op haar eigen stem.
*"Snij maar, Anneleen. Eén sneetje maar en je zult je beter voelen. Of twee sneetjes dicht bij elkaar. Dan zul je je nog beter voelen. Doe het, Anneleen. Een flinke kras zodat er bloed uit komt. Dat zal helpen."*
Vertwijfeld zocht Anneleen het mes onderaan in haar schooltas.
*"Niet doen, Anneleen."* Een andere stem, een stem die veel stiller sprak. *"Als je het wel doet, ben je ziek."*
*"Je bent niet ziek."* Weer de eerste luide stem. *"Je hebt alleen maar heel veel liefdesverdriet. Dan moet je snijden. Je kunt niet anders."*
Ze keek naar het mes en schoof de armband opzij. Heel voorzichtig raakte ze met de kartels van het mes haar huid aan.
'Ik kan niet anders', fluisterde ze.

"*Nu, Anneleen. Doe het maar.*"
Ze knikte. Sorry, mama en papa. Ik weet wat ik beloofd heb.
Sorry, maar die pijn is er weer en hij is niet te verdragen.
Sorry...
Toen hoorde ze de ringtone van haar gsm. En op hetzelfde
ogenblik verdwenen de stemmen. Met een zucht legde ze het
mes neer en duwde ze op het knopje.
'Met Anneleen.'
'Hoi. Otwin hier. Hoe ging de repetitie?'
Anneleen glimlachte. Lief dat hij belde. Dat was tenminste
iemand die echt belangstelling voor haar had.
'Heel goed. Mandy was zenuwachtig zoals altijd, maar we
kenden onze teksten. En Mandy heeft zelfs niet een keer
onderbroken om commentaar te geven. Dat is een succes.'
Zonder erbij na te denken wreef ze zachtjes met haar wijsvinger
over de tanden van het mes.
'En of! Ik probeer zeker naar de generale repetitie te komen.
Wanneer is dat ook alweer?'
'Volgende week woensdag om 17u.'
'Oké, ik noteer het in mijn agenda. Tot morgenavond dan?'
'Ja. Graag. Ik kijk er naar uit', glimlachte ze.
'Ik ook. Ciao.'
Anneleen legde de gsm op haar nachtkastje. Praten met Otwin
gaf haar een soort kick. Hij kon haar heel goed afleiden. Zo
goed zelfs dat de pijn van binnen minder geworden was. En
onbewust had hij verhinderd dat ze nu zou snijden en krassen.
'Anneleen, ga je vanavond nog weg om te repeteren?' vroeg
mama terwijl ze de kamer binnenkwam.
Shit! Het mes lag er nog. Anneleen hield haar adem in. O nee,
mama had het natuurlijk gemerkt.
'Nee, mam', probeerde ze zo rustig mogelijk te zeggen.
'Anneleen, wat ben jij aan het doen?' Ze keek beschuldigend.
'Geef hier dat ding.' Mama pakte het mes.
Anneleen kleurde rood.

'Ik heb net met Otwin gebeld. Toe, mama.' Ze schudde haar hoofd. 'Het is echt niet wat het lijkt. Ik wilde het mes in de lade terugleggen.'

Mama keek haar heel ernstig aan.

'Waarvoor had jij dat mes nodig?' vroeg ze.

Waarom snapte mama niet dat ze geen keus had? De pijn liet haar dingen doen die ze niet eens zelf wilde. En dan moest ze ertegen vechten, heel hard op haar tanden bijten, maar soms kon ze niet anders dan te krassen en te snijden. En zeker als er dan ook nog stemmen in haar hoofd waren.

'Ik had het niet nodig', aarzelde Anneleen. Ze haalde haar schouders op. 'Het lag hier nog. Ik had het niet teruggelegd. Echt, mam. Ik was niets stoms van plan. Je moet me geloven. Het gaat nu heel goed met me.'

Waren dat de zinnen die mama wilde horen? Anneleen probeerde haar stem neutraal maar overtuigend te laten klinken, maar ze voelde zich erg gespannen.

Mama balde haar vuisten. Haar knokkels waren wit.

'Laat me je polsen zien.'

Anneleen deed het. De wonden waren mooi aan het helen.

'Anneleen, we kunnen niet elk mes en elk scherp voorwerp voor je verbergen. We moeten je kunnen vertrouwen.'

'Dat kun je toch. Ik heb me niet meer gesneden. Dat merk je toch.'

Dat het op het nippertje was geweest hoefde mama niet te weten. En haar moeder had gelijk. Ze moesten haar kunnen vertrouwen. Ze moest ook zichzelf kunnen vertrouwen.

Mama keek bang, maar knikte toen.

'Misschien moeten we je nog een keer naar die psychiater sturen', zei ze zacht.

'Nee, alsjeblieft niet. Het is niet nodig. En ik heb er nu geen tijd voor. Dat snap je toch. Toe, mam. Je weet dat ik het de komende dagen heel druk zal hebben. En wat ik moet doen zou ik niet kunnen mocht ik in mijn pols snijden.'

Dat leek mama gerust te stellen, want ze glimlachte.

# Tweeëndertig

De dag van de generale repetitie was aangebroken.

'Nu ben ik ook zenuwachtig', zei Anneleen tegen Mandy terwijl ze over het schoolplein naar de klas wandelden. Voor de middag gingen de lessen gewoon door.

'Eindelijk! Ik dacht al dat je niet normaal was.'

Ze lachten.

'Nu ja, er zullen er nog wel zijn die zenuwen hebben. Jelle bijvoorbeeld', zei Anneleen.

'Klopt. Zeg, weet je waar hij totaal geen rekening mee houdt? Met het feit dat er nog andere kandidaten zijn. Ik vind dat er nog heel goede stukken zijn.'

Opeens knipte Anneleen met haar vingers.

'Het stuk van Bram bijvoorbeeld. Hij speelt altijd zo rustig. Daardoor komt hij veel spontaner over dan wij. Misschien dreunen we nog te veel onze tekst op.'

Mandy keek heel ernstig en knikte.

'Je hebt gelijk.'

'Laten we proberen ons nog beter in te leven in ons personage.'

Mandy floot.

'Gemakkelijk gezegd. Wat ben ik blij dat ik vanmiddag nog naar de manege kan. Eerst lekker ontspannen bij Wervelino en daarna zal het misschien lukken om spontaan te doen', zuchtte ze.

Anneleen gaf haar een vriendschappelijke stomp.

'Hé zeg! Blijf niet de hele tijd bij Wervelino. Je moet ook nog eens je teksten doornemen.'

'Natuurlijk', beloofde Mandy.

Na de middag was Anneleen zowat kapot van de zenuwen.
Wat moest dat worden op de dag van de wedstrijd?
Met de tekst in haar handen ijsbeerde Anneleen in haar kamer,
maar ze kon zich niet concentreren.
Plotscling hoorde ze de ringtone van haar gsm. Met een zucht
duwde ze op het knopje.
'Met Anneleen.'
'Hoi, met Otwin. Hoe gaat het?'
'Vreselijk. Ik zal blij zijn als het allemaal voorbij is.'
Anneleen wreef over haar maagstreek.
'Logisch dat de spanning toeneemt. Eerlijk gezegd, ik denk
dat het allemaal wel zal meevallen. Trouwens, wordt er niet
gezegd dat een slechte generale garant staat voor een heel goede
prem ière?'
Anneleen glimlachte en bestudeerde haar gips. Het werd vuil.
Wat kon ze daaraan doen?
'En als het een goede generale is?'
'Volgens mij bestaat daarover geen spreuk.'
Anneleen knikte en bedacht toen dat Otwin dit niet kon zien.
'Ik probeer zo goed mogelijk te presteren.'
'Natuurlijk. Dat spreekt voor zich. O. Nog iets, Anneleen. Ik
vind het niet leuk, maar ik zal niet naar de generale repetitie
kunnen komen. Er is iets heel dringends op het werk. Sorry, ik
kan er echt niet onderuit.'
Anneleen zuchtte.
'O. Dat is jammer. Ik had er zo op gerekend.' Anneleen zuchtte
nog een keer. 'Nu ja, ik snap het wel hoor. Geen probleem.'
Ze beet op haar onderlip.
'Ik wist dat je het zou snappen. Maar ik kom zondag naar de
wedstrijd. Dat is beloofd.'
'Oké', knikte ze. Hopelijk hoorde hij niet dat ze vreselijk
ontgocheld was.

'Doe je best, Anneleentje.'
'Doe ik.'

Een half uur later was er alweer telefoon.
'Met Anneleen.'
'Anneleen, met Caroline, de moeder van Mandy.'
Anneleen bleef als een standbeeld staan. De moeder van
Mandy? Dat beloofde niet veel goeds.
'Ik vrees dat ik minder goed nieuws heb', zei Caroline.
Zie je wel? Daar had je het al. Anneleen hapte naar adem en
zonk neer op haar bed.
'Mandy is van een paard gevallen. Ze heeft haar rechterarm
gebroken en een wervel gekneusd. Ze ligt nu in het ziekenhuis.'
'Nee. O, nee', fluisterde Anneleen die lijkbleek werd.
'Anneleen, het komt allemaal weer goed. Er zijn veel mensen
die ooit eens iets breken.'
'Ja, natuurlijk.'
'Ik weet dat het hard aankomt, want jullie zijn heel close. Ze
heeft ook veel verdriet gehad toen jij na dat ongeluk in het
ziekenhuis lag. Nog een keer, het komt echt wel weer goed.'
Anneleen snoof. Er liepen tranen langs haar neus.
'Mag ik haar zien?' snikte ze.
'Ja, maar vandaag kan het niet meer. Mandy heeft verdoving
gekregen en slaapt nu. Het spijt me ook voor jou, Anneleen.
En dan nog iets. Vandaag is er generale repetitie. Jullie hebben
zo hard gewerkt en nu valt alles in het water.'
'Daar hoef je nu niet aan te denken. Mandy komt op de eerste
plaats. Weet je al hoelang ze in het ziekenhuis zal moeten
blijven?'
'Nog niet. We hopen dat ze ten laatste in het weekend naar
huis zal mogen.'
Anneleen knikte. De wedstrijd zou ze ook wel mogen vergeten.
Helaas!

'Doe haar de groeten als ze wakker wordt en vertel haar dat ik haar heel vlug kom opzoeken', zei Anneleen met een fijne stem.

'Doe ik. Tot ziens.'

Anneleen gooide de telefoon neer.

'Mama?' riep Anneleen terwijl ze haar kamer uitliep. 'Mama?' Ze holde de trap naar beneden.

'Lieve deugd. Wat is er?' Mama kwam uit de keuken met een handdoek in haar handen.

'Hou me vast, mama. Anders zal ik in mijn pols snijden.'

# Drieëndertig

Een kwartier later zaten Anneleen en haar moeder nog altijd op de bank.
'Zo'n breuk geneest over het algemeen heel vlot. En die kneuzing ook', zei mama nog een keer.
'Dat weet ik. Alleen jammer dat het nu gebeurt. O, Fran zal blij zijn! Dat serpent! Nu denkt ze zeker dat ze zal winnen.'
Anneleen staarde naar de muur tegenover haar.
'Dan moet jij ervoor zorgen dat ze geen reden heeft om dat te denken.'
Verbaasd keek Anneleen naar mama.
'Wat bedoel je?'
'Nou, in jouw plaats zou ik naar de generale gaan en de tekst meenemen. Vraag dat iemand anders de rol van Othello leest zodat jij kunt spelen. Als Fran merkt dat de val van Mandy geen invloed heeft op jouw prestaties zal ze wel een toontje lager zingen. Gewoon het feit dat je op de repetitie bent vertelt al genoeg.' Mama knikte haar bemoedigend toe.
Anneleen glimlachte door haar tranen heen.
'En zondag?' vroeg ze.
'Komt tijd komt raad', zei mama. 'Tegen die tijd bedenken we wel wat.'

'Heb je nu nog geen Othello?' pestte Fran een uur later in het auditorium. De generale repetitie zou zo meteen beginnen. 'Nou, nou, alle Othello's laten jou in de steek. Ik heb het al gezegd. Kijk maar uit. Tijdens de wedstrijd zul je daar nog altijd

alleen staan. Is Otwin wel te vertrouwen?' Ze grijnsde breed.
Anneleen beet hard op haar onderlip.
'Fran, laat dat', snauwde Jelle.
'Kies je alweer partij voor haar?' vroeg Fran gemeen.
'Zwijg! Je bent niet te genieten, Fran.'
Fran snoof en zei iets onduidelijks.
Plotseling hoorde Anneleen in gedachten de stem van Mandy
die zei dat ze alles moest doen om te winnen. En dat gaf haar
moed om verder te gaan.
Anneleen zette een stap achteruit en draaide zich naar de andere
jongelui.
'Ik zoek iemand die voor Mandy wil invallen en die vandaag
met mij wil repeteren', zei ze met volle stem.
Jelle was de eerste om te reageren.
'Dat doe ik wel. Met genoegen trouwens.'
Anneleen knikte en glimlachte. Hij keek naar haar alsof hij
iets goed te maken had.
'Jelle! Echt niet! Wat denk je trouwens?' vloog Fran uit. 'Wij
moeten winnen. Wij.' Ze tikte met haar wijsvinger op haar
borst. 'Nu ga je haar ook nog helpen zodat ze tijdens de wed-
strijd goed zou kunnen spelen. Vergeet dat maar. Je kunt geen
twee rollen doen.'
De ogen van Jelle schoten vuur.
'Ik zal alleen de tekst lezen. Dat is niet hetzelfde als toneel
spelen. Trouwens ik wil Anneleen helpen.'
'Jij wilt altijd Anneleen helpen. Verdacht veel als je het mij
vraagt.'
De mond van Anneleen viel open van verbazing.
'Doe niet zo jaloers!' riep Jelle.
'Ik ben niet jaloers. Ik wil alleen onze kansen om te winnen hoog
houden. Luister goed, Jelle. Als jij vandaag die tekst durft te
lezen, kijk ik nooit meer naar je om. Ik zoek een andere Romeo.
Kandidaten genoeg. Desnoods haal ik er ook een van het conservatorium. Aan jou de keuze.' Fran spuwde de zinnen uit.

Het werd ijzig stil. Jelle beet duidelijk op zijn tanden. Zijn kaakspieren stonden gespannen en hij balde zijn vuisten. Anneleen keek naar hem en zag hoe hij in tweestrijd stond. Enerzijds was ze er blij om en werd ze er van binnen helemaal warm van. Anderzijds kon ze het niet hebben dat Jelle onder de situatie leed. Stel je voor dat hij zondag niet zou kunnen spelen omdat er een andere Romeo was. Dat overleefde hij niet. En dat Fran een andere Romeo zou zoeken en vinden, daar twijfelde ze niet aan.

Anneleen schudde haar hoofd en schraapte haar keel.

'Jelle, ik vind het cool van je dat je mij wilt helpen. Echt, ik apprecieer het, maar ik wil niet dat je erdoor in de problemen komt. Bram, wil jij me helpen?'

Anneleen stak de tekst uit. Was het een foute indruk of had Jelle tranen in zijn ogen?

Een poosje later waren Bram en Anneleen aan de beurt. Anneleen knikte hem bemoedigend toe, haalde diep adem en probeerde vooral zich te concentreren.

Bram las rustig en deed wat hij kon. Toen besloten ze om het slot nog eens te hernemen.

Othello staat op het toneel en kijkt naar het publiek terwijl Desdemona met haar rug naar het publiek staat.

*Othello: Genadeloos druppelde Jago het gif van de jaloersheid in ons gelukkige huwelijk. Ik verloor alle controle over mijn gedachten en mijn gevoelens.*

Othello en Desdemona draaien zich en kijken elkaar aan.

*Desdemona: Je hoorde Emilia uit. Emilia, die nietsvermoedend de zakdoek aan Jago gegeven had. Ze heeft bevestigd dat ik je altijd trouw gebleven ben. En toch geloofde je haar niet.*

*Othello: Wat wist Emilia van trouw? Zij is een koppelaarster. Ik kan het niet verdragen dat je aan een ander denkt, dat je een ander toebehoort. Wat ik nu zal doen is een blijk van liefde. Kus me.*

Othello en Desdemona geven elkaar een kus.
Daarna wurgt Othello Desdemona.

*Othello: Ik hou van je, lieve Desdemona.*

Othello duwt een mes in zijn hart en valt neer. Dood.
Doek gaat dicht.

# Vierendertig

'Hoe was het?' vroeg Mandy de volgende dag. Ze lag thuis op de bank.
'Naar omstandigheden goed', zuchtte Anneleen. 'Bram heeft me geholpen. Eerst wilde Jelle het doen, maar toen veranderde Fran in een briesende leeuw.'
Mandy lachte.
'Ik kan het me voorstellen.'
Het bleef een poosje stil.
'Mandy, hoe moet het nou voor de wedstrijd?' vroeg Anneleen met een snik in haar stem.
Mandy zuchtte.
'Ik heb daar ook al heel veel aan gedacht. Gisteren nog zei de dokter dat ik niet naar de wedstrijd mag. Ik moet blijven rusten. Dat is heel belangrijk voor die wervel.'
Anneleen knikte.
'Dat snap ik wel. Je kunt maar beter goed rusten. Anders duurt het nog langer voor je Wervelino terugziet.'
Mandy glimlachte.
'Wil jij Wervelino eens opzoeken? En hem vertellen wat er met mij gebeurd is?'
'Ja, natuurlijk. Zal hij het snappen denk je?'
'Zeker weten.'
Het bleef weer een poosje stil.
'Weet je, Anneleen. Ik zie maar twee mogelijkheden om die wedstrijd te winnen.'

'Denk je daar nu nog altijd aan? Vergeet het, Mandy. We moeten reëel zijn.'

'Hé, je hebt me beloofd om al het mogelijke te doen om te winnen, weet je nog?'

Anneleen knikte.

'De omstandigheden zijn nu wel helemaal anders', zei ze.

'Ja, dus pas je je aan de nieuwe omstandigheden aan', vond Mandy.

Anneleen grinnikte.

'Gemakkelijk gezegd. De generale repetitie is zelfs al voorbij. Het zag er niet echt naar uit dat ik zou winnen. Ik heb een Othello moeten ritselen.'

Ze lachten.

'Meer dan nodig dus dat je goed naar me luistert', zei Mandy.

'Mogelijkheid één heb ik je vroeger al verteld. Je stuurt Wervelino het podium op en je laat hem Fran vertrappelen. Jelle mag overeind blijven staan, maar hij moet wel zijn tekst vergeten.'

Anneleen lachte weer.

'Erg realistisch is dat. Goed. En mogelijkheid twee?'

'Kom hier. Ik zal in je oor fluisteren.'

De ogen van Anneleen werden heel groot.

'Dat lukt niet', zei ze zacht.

'Dat lukt wel', vond Mandy. 'Je hebt nog twee dagen om het te laten lukken.'


Een poosje later kwam Anneleen thuis en sloeg de voordeur harder dicht dan haar bedoeling was.

'Mama!' riep ze.

'Ja?' klonk het van boven.

'Mama! O, mama!' riep ze weer terwijl ze naar boven holde.

'Anneleen, wat is er?' Geschrokken kwam haar moeder uit haar slaapkamer.

Anneleen was even perplex. Ze las in mama's ogen dat ze vreesde dat Anneleen alweer de drang voelde om zichzelf te verwonden. Ergens deed het pijn dat haar moeder daaraan dacht. 'Nee, mam. Ik ga niet snijden. En ik heb er allang geen behoefte meer aan', zei ze alsof haar moeder haar gedachten uitgesproken had.

De blik in mama's ogen veranderde meteen.

'Dat weet ik', probeerde mama het goed te maken.

'Mam, kun je me helpen?' klonk het enthousiast.

'Rustig, Anneleentje. En praat eens duidelijk', moedigde haar moeder aan.

Naarmate Anneleen verder vertelde, werd de glimlach op mama's gezicht breder.

'Ik ben trots op je, engel van me', zei mama toen Anneleen uitverteld was.

# Vijfendertig

De dag van de wedstrijd stond Anneleen achter de coulissen tussen enkele andere kandidaten te wachten. Jelle en Fran waren net begonnen. Daarna zou het haar beurt zijn.

Anneleen keek naar haar schoenen en ademde diep in en uit. Kon ze dat trillen maar laten ophouden.

Een poosje later klonk een luid applaus gevolgd door de stem van mevrouw Verstraete, lerares Nederlands en voor de gelegenheid presentatrice.

'Een schitterende vertolking van Romeo en Julia! Gefeliciteerd, Jelle en Fran. Jullie weten dat de jury ook rekening houdt met moed en inzet. Vertel eens, Fran. Wat heb jij allemaal gedaan om je voor te bereiden op vandaag?'

'Ik heb zoveel mogelijk films van Stijn Coninx bekeken', antwoordde Fran. Af en toe giechelde ze. 'Ik heb alle acteurs en actrices goed bestudeerd en geprobeerd om Julia in dezelfde lijn te brengen. Het is mijn grote droom om professioneel actrice te worden.'

'O', zei mevrouw Verstraete. 'Wat een ambitie! Straks horen we wat de jury daarvan vindt. En jij, Jelle? Hoe heb jij je voorbereid?'

'Tijdens de repetities heb ik heel veel aandacht besteed aan mijn uitspraak en mijn mimiek. We hebben trouwens bijna elke dag gerepeteerd. Ik heb ook geluisterd of de tekst die ik geschreven had vlot en duidelijk was', zei Jelle.

'Dat klinkt prima', zei mevrouw Verstraete. Het publiek applaudisseerde.

'We geven de jury even de tijd om te overleggen. Intussen wordt het podium klaargemaakt voor een fragment uit Othello, een ander heel mooi stuk van Shakespeare.'
Het publiek applaudisseerde nog een keer.

'Goed gedaan, Jelle', vond Fran toen ze achter de coulissen kwamen. Ze wilde hem op zijn wang kussen, maar hij trok zich achteruit.
'Kijk eens aan', zei Fran toen ze Anneleen zag staan. 'Heb ik het je niet voorspeld? Je moet nu optreden en je hebt nog steeds geen Othello!' pestte ze. 'Je kunt net zo goed niet meedoen, want je maakt jezelf alleen maar belachelijk. En kijk hoe je er uitziet!'
Onzeker keek Anneleen naar haar hooggesloten donkerblauwe jurk. Toen vergeleek ze haar jurk met de laag uitgesneden felgekleurde trui van Fran. De lippen van Anneleen trilden.
'Anneleen, je ziet er prima uit', bemoedigde Jelle haar. 'Zal ik de rol van Othello voor je doen? Met wat improvisatie...'
'Waag het niet', vloog Fran uit. 'Wil jij nu echt haar kansen om te winnen verhogen? Niet dat ze veel kans maakt.'
Anneleen zuchtte diep en probeerde de nare opmerking te negeren. Toen moest ze op.
Op het podium werd ze in het felle licht van een spot gevangen. Verder was er voorlopig niets te zien. Anneleen ging vooraan op het podium staan en keek naar het publiek.
Toen klonk een bandopname.
'Ik ben Othello en ik ben dood.' De stem van Otwin.
Anneleen wist dat er op dit ogenblik achter haar een tweede spot aangezet werd. Het licht van de spot viel op een levensgrote pop die op een stoel zat. Haar moeder had geholpen om die pop te maken. De pop was gevuld met stro van de manege en droeg oude kleren van papa.
Naast de stoel met de pop stond er een heel grote foto van Otwin, een close-up van zijn gezicht.

'Ik ben Desdemona en ik ben ook dood', reageerde Anneleen. Ze sprak live.

'Desdemona en ik zullen jullie vertellen hoe dat komt.' Weer de bandopname.

Het verliep allemaal heel vlot. Alleen aarzelde Anneleen heel even toen ze naar de pop gedraaid stond. Tot haar grote verbazing stond Otwin naast de pop, met een voet op de stoel. Hij leunde op zijn dij.

Toen het moment van de kus aangebroken was, kwam hij naar haar toe en zoende haar vol op de mond. Daarna verdween hij achter de coulissen.

Na hun optreden kreeg Anneleen een oorverdovend applaus. Otwin kwam weer naast haar staan. Het publiek bleef maar juichen.

Mevrouw Verstraete stapte op het podium en stak haar hand op. De zaal werd rustig.

'Schitterend! Ongelooflijk schitterend was deze originele vertolking van Othello door Anneleen en ...'

Ze hield de microfoon voor de mond van Otwin.

'Otwin.'

Het publiek juichte nog een keer.

'Otwin. Eerlijk gezegd hebben we al veel over je gehoord', zei mevrouw Verstraete. 'Ongetwijfeld was het jouw idee om Othello op die manier te brengen.'

'Helemaal niet. Het idee komt van twee talentvolle jongedames, Anneleen en Mandy. Ze hebben trouwens zelf verschillende keren de tekst aan de omstandigheden moeten aanpassen', antwoordde Otwin.

Weer applaus van het publiek. Anneleen glunderde. O Mandy, jammer dat je hier niet bent.

'We merkten wel dat het er heel professioneel aan toe ging', zei mevrouw Verstraete. 'Echt, je hebt een bijzonder hoog niveau.'

Anneleen lachte.

'Vergis je niet. Zo hoog is mijn niveau echt niet', zei Otwin. Anneleen durfde bijna niet naar hem te kijken. Opeens was ze bijzonder zenuwachtig.

'Wat vele mensen hier bezighoudt: hoe raakt een acteur van het conservatorium hier verzeild?' vroeg mevrouw Verstraete.

'Sorry. Even iets rechtzetten', zei Otwin terwijl hij in zijn haren krabde. 'Ik ben geen acteur en ik heb niets met een of ander conservatorium te maken.'

In het publiek werd er gemompeld.

'Je maakt een grapje', zei de presentatrice ontdaan.

'Helemaal niet. Ik ben een doodgewone stagiair architectuur. Momenteel werk ik op het kantoor van de vader van Anneleen. Alle eer komt Anneleen toe. Ik heb haar gewoon uit de nood geholpen.'

In de zaal werd het heel stil.

'Otwin, sorry voor de vergissing. Ik dacht echt…. Het is wel een blijk van heel veel moed dat je aan de wedstrijd hebt deelgenomen.' Mevrouw Verstraete draaide zich.

'Anneleen, waar is de acteur van het conservatorium dan? Wekenlang hebben we over hem horen praten.'

Ze hield de microfoon voor de mond van Anneleen. Toch maar doen alsof ze ooit overwogen had om met een acteur van het conservatorium te werken?

'De acteur is niet hier in elk geval. Opeens besloten Mandy en ik dat we hem niet meer nodig hadden. We hebben wel enkele privélessen toneel gevolgd bij een toneellerares die papa kent. En om die te betalen had ik voor enkele uren per week een baantje aangenomen bij het architectenkantoor van mijn vader. Ik was daar receptioniste. Zo heb ik Otwin leren kennen.'

'Dat getuigt van heel veel inzet. Goed zo, Anneleen', zei mevrouw Verstraete. 'En dames en heren, mag ik er even op wijzen dat Anneleen het vandaag ook nog zonder Mandy moest stellen? Al die tijd heeft Mandy tijdens de repetities de rol van Othello op zich genomen. We wensen Mandy een

vlot herstel. Bedankt, Anneleen en Otwin!'
Anneleen en Otwin kregen nog een oorverdovend applaus.
Daarna verdwenen ze achter de coulissen.
'Je hebt ons beduveld', beschuldigde Fran meteen toen ze
Anneleen in de gaten kreeg.
'Niks van waar. Ik heb toneel gespeeld. Leuk spel trouwens',
beet Anneleen haar toe.
'Goed gedaan. Erg origineel', zei Jelle. Hij keek Anneleen
warm aan. Ze glimlachte en knikte. Daarna ging ze samen
met Otwin in de zaal zitten om de rest van de wedstrijd bij te
wonen.

'Dames en heren, de jury heeft bepaald wie de winnaar is en
wat het winnende stuk is', zei mevrouw Verstraete anderhalf
uur later. Mag ik vragen aan de kandidaten om allemaal op het
podium te komen?'
Blijkbaar was Fran zeker van de overwinning, want ze ging
vooraan naast mevrouw Verstraete staan. Fran zwaaide en
lachte naar het publiek.
Anneleen voelde zich niet zo prettig en wenste dat Mandy bij
haar was. Maar de hand van Otwin op haar schouder troostte
haar en gaf haar moed om nog even vol te houden.
'Dames en heren, de heer Sercu is vandaag voorzitter van de
vakjury. Meneer Sercu, hou ons alstublieft niet langer in
spanning. Wie is de winnaar van de wedstrijd? Wie wint de
boekenbon van honderdvijftig euro?' riep mevrouw Verstraete
uit.
'Vandaag hebben we gezien dat hier heel veel talent is, dat er
jongens en meisjes zijn die heel hard gewerkt hebben, heel veel
moed hebben en origineel uit de hoek komen. En wat ons sterk
geraakt heeft is dat er onder de kandidaten iemand is die het
woord "opgeven" niet kent. Het is die kandidaat die we als
echte winnaar zien van deze wedstrijd. Dames en heren, we
houden u niet langer in spanning. Het winnende stuk is...'

Meneer Sercu hield even op.

'Othello vertolkt door Anneleen en Otwin!'

Anneleen en Otwin gingen onder luid applaus naar voren.

Fran maakte zich uit de voeten.

# Zesendertig

'Hoi, je moeder heeft me binnengelaten', zei Jelle die opeens in de kamer van Anneleen stond.

Hij stak zijn handen in zijn zakken.

'Hoi, kom erin.' Anneleen zat aan haar bureau met een breinaald in haar hand.

'Wat ben je aan het doen?' vroeg hij.

Ze glimlachte.

'Ik heb altijd zo'n jeuk onder dat gips. Ik probeer of ik met die naald bij de plek kan.'

Jelle knikte. Hé? Hij dacht toch niet dat ze ermee in haar polsen zou prikken of zo?

'Anneleen, ik wil je nog eens feliciteren met je overwinning. Het was echt wel terecht hoor.'

'Dank je. Hoe gaat het met Fran? Ik heb haar niet meer gezien.'

De naald was tamelijk ver in het gips geschoven en Anneleen probeerde of ze die kon bewegen over haar huid.

'Fran is razend. Ze vindt dat ze gemeen behandeld is. Weet je dat ze echt wel heel moeilijk is om mee om te gaan? De keren dat wij ruzie hadden tijdens de repetities zijn niet te tellen. Ik ben blij dat ik niet meer hoef te repeteren. Ik heb een ongelooflijke fout gemaakt, Anneleen.'

Ze grinnikte. Door die grote fout van hem hadden Mandy en Anneleen kunnen bewijzen wat ze in hun mars hadden. Anders had het fragment uit Othello misschien nooit gewonnen.

'Je bent stiller geworden', vond Jelle. 'Ernstiger. Heb je nog altijd hoofdpijn misschien? Of is Otwin daar de oorzaak van?'

Ze grinnikte weer. Was hij jaloers?

'Nee, het is gewoon erg druk geweest. Na schooltijd moesten we repeteren. Ik volgde die extra toneellessen en ik had mijn baantje als receptioniste. Ik kan je verzekeren dat het allemaal heel vermoeiend was.'

Jelle knikte.

'Wat ik je al een hele tijd wilde vragen. Hoe zit het tussen jou en Otwin?'

Verbaasd draaide Anneleen zich op haar stoel. Hij was jaloers! Heerlijk was dat.

'Otwin is gewoon een vriend die geholpen heeft toen Mandy en ik hulp nodig hadden. Nu zal ik hem niet meer veel zien trouwens. Ik hoef geen extra toneellessen meer, dus heb ik niet meer zoveel geld nodig. Het baantje is voorlopig voorbij.'

Even trok ze haar wenkbrauwen op.

'Dus je voelt niets voor Otwin?'

Anneleen schudde haar hoofd.

Opeens straalde hij.

'Weet je nog wat Othello tegen Desdemona zei? *Ik heb je zo lief. Mijn hart klopt vurig voor jou.* Dat is wat ik je ook nog wilde vertellen, Anneleen.'

'Je wilde me vertellen wat Othello tegen Desdemona zei?' vroeg Anneleen.

'Nee, wat ik je wil zeggen is dat ik veel voor je voel', zei hij zacht.

*'Ik heb de hele tijd op je gewacht'*, lachte Anneleen.

Onzeker fronste Jelle zijn wenkbrauwen.

'Dat is wat Desdemona zei', fluisterde hij.

'Dat is ook wat ik zeg', knikte Anneleen.

Lachend nam Jelle Anneleen in zijn armen.

## Waar kun je terecht voor hulp bij zelfverwonding?

Iedereen kan ooit wel eens te maken hebben met psychische of psychiatrische problemen. In vele gevallen kom je er op eigen krachten of met de hulp van familie, vrienden of een leerkracht weer bovenop.
Soms is de hulp van een professioneel iemand nodig.
Dat kan een arts zijn, een verpleegkundige of een medewerker van een hulporganisatie.
Als je gespecialiseerde hulp nodig hebt, word je doorverwezen naar een psycholoog of een psychiater.
Elk ziekenhuis heeft een kinder- of jeugdpsychiatrische dienst.

## Enkele hulporganisaties in België:

### Centra voor Leerlingenbegeleiding:
web: *www.ond.vlaanderen.be/clb/adressen/adressen_clb.htm*
Hier vind je de gegevens van het centrum in je buurt. Je kunt het CLB ook via je school contacteren.

### De Jongeren Advies Centra
Dit zijn deelwerkingen van de Centra voor Algemeen Welzijnswerk. Deze hulpverlening is in principe gratis.
web: *www.jac.be*
Als je klikt op "Waar?", dan krijg je het adres, het e-mailadres en het telefoonnummer van het JAC uit je buurt.

**Federatie van Diensten voor Geestelijke Gezondheidszorg**
web: *www.fdgg.be*
e-mail: *fdgg@fdgg.be*
tel: 09 / 233 50 99

Heel interessant is hierbij de site van CGG Oase Dendermonde:
web: *http://users.skynet.be/oase/*
Hier vind je heel wat contactadressen van andere Centra voor
Geestelijke Gezondheidszorg, koepels, hulp uit de psychiatrie,...


**Agentschap Jongerenwelzijn**
web: *www.jongerenwelzijn.be*
e-mail: *jongerenwelzijn@vlaanderen.be*


**Dienst Jongereninformatie**
web: *www.jongereninformatie.be*
Je kunt een vraag stellen via het vraagformulier. Op bepaalde tijd-
stippen kun je ook online een vraag stellen aan een hulpverlener.


**www.1215.be**
Een website speciaal voor jongeren waar je veel kunt lezen over
"gevoelens", positieve en negatieve.

## Centra voor Algemeen Welzijnswerk

web: *www.caw.be*

Bij "Contact" vind je het adres, het telefoonnummer en het e-mailadres van het centrum in je buurt.

Tijdens het eerste gesprek probeert een medewerker van het CAW een volledig beeld te krijgen van het probleem van de jongere.

Jezelf verwonden is een manier om met ondraaglijke gevoelens om te gaan. De medewerker van het CAW probeert inzicht te krijgen in de oorzaken en de aanleidingen van de zelfbeschadiging.

Het CAW zoekt uit wat de beste hulpverlening is voor die jongere. Het is mogelijk dat er meteen een psychosociale begeleiding wordt gestart, maar het kan net zo goed dat de jongere voor therapie doorverwezen wordt naar een andere dienst.

Verschillende factoren spelen mee in het bepalen van de gepaste hulpverlening.

- *Wanneer hebben de gebeurtenissen plaatsgevonden?*
- *Welke gebeurtenissen zijn het?*
- *Gaat het om één probleem of zijn er verschillende?*
- *Heeft de jongere al hulpverlening gehad?*
- *Heeft de jongere al van bij het begin voldoende vertrouwen in de hulpverlening of moet het vertrouwen nog opgebouwd worden?*

## Enkele hulporganisaties in Nederland:

**Steunpunt Zelfbeschadiging (SZ) Stichting Wegwijs**
Postbus 1399
3500 BJ Utrecht
tel: *030-2311473*
web: *www.zelfbeschadiging.nl*
e-mail: *stichting@zelfbeschadiging.nl*


**Nederlandse Vereniging voor Psychiatrie**
web: *www.nvvp.net*
e-mail: *info@nvvp.net*


**Geestelijke Gezondheidszorg Nederland**
web: *www.ggznederland.nl*
e-mail: *info@ggznederland.nl*
Onder "links" staan de lidinstellingen per provincie gerang-
schikt, ook de instellingen voor kinder- en jeugdpsychiatrie.


**Fonds Psychische Gezondheid**
web: *www.fondspsychischegezondheid.nl*
e-mail: *info@fondspsychischegezondheid.nl*
Zoek onder "borderline".

Psychische gezondheidslijn : *0900-9039039* voor een luisterend
oor, informatie en advies.

**Stichting Borderline**
web: *www.stichtingborderline.nl*
tel: *030-2767072*
e-mail: *stichting@stichtingborderline.nl*
Er is een forum en mogelijkheid tot contact met lotgenoten.


**Medische startpagina van Nederland**
web: *www.medischestartpagina.nl*
Klikken op "ziektebeelden", daarna op "zelfverminking".
Je kunt per e-mail een vraag stellen via het vraagformulier.
Er is ook een forum.

Landelijke Stichting Zelfbeschadiging
Postbus 140
3500 AC Utrecht
e-mail: *stichting@zelfbeschadiging.nl*
tel: *030-2311473*

In januari 2007 startte de Landelijke Stichting Zelfbeschadiging (LSZ) met een gespreksgroep voor lotgenoten.
Er wordt rond thema's gewerkt zoals: Wat betekent zelfbeschadiging voor mij? Hoe ga ik met littekens om? Met reacties van de omgeving?
De bedoeling van de gespreksgroep is de lotgenoten inzicht laten krijgen in het waarom van hun zelfbeschadiging. En vooral hen ertoe aanzetten om te werken aan hun herstel.
Tijdens de gesprekken is er professionele begeleiding.

Vier dagen per week is de telefonische hulpdienst bereikbaar. Aan de telefoon zitten lotgenoten en professionele begeleiders die vooral luisteren. Ze geven ook advies.

Lotgenoten kunnen ook per e-mail, telefoon of per post met elkaar in contact gebracht worden.
Op het internet is er een forum.
Ook de partners, familie en vrienden van mensen die zichzelf beschadigen kunnen er terecht.

Velen beschadigen zichzelf in alle eenzaamheid. Ze schamen zich en zijn bang voor negatieve reacties. En het lukt maar niet om te praten over wat hen bezighoudt.

**Toch is praten de eerste stap naar herstel.**